THE ART OF SOLITUDE

孤独不算烦恼

[英] 扎克·西格
(Zachary Seager) 编著

丁林棚 译

中国出版集团
中译出版社

目录

导读

人们说，我们比以往任何时候的联系都更密切。我们到别的大陆旅行只需要几个小时的时间；无论身处何地，只要我们愿意，就可以和家人朋友交谈。我们能看到他们的面庞，带着微笑出现在电脑或手机屏幕上。我们再也不需要独处了。

然而我们却从未感到如此孤独。在每日通勤的火车上，我们避免与周围的人四目相接；我们听播客来消磨时间——耳朵里听到的是别人的交谈；我们眼睛紧盯着社交软件，静静地沉醉于别人的生活。在人山人海中，我们永远是孤独的。

矛盾的是，我们越靠近别人——穿行在熙熙攘攘的城市中，在互联网上时刻在线——便越感到孤独。从这个角度来看，现代的历史就是孤独的历史。

我们可以建立更有意义的联系来消除这种孤独，比如在社区里积极发挥作用，或者重视我们建立的关系。但是，我们也可以学会舒适地独处——学会自己幸福，学会自己强大起来。的确，对美国诗人玛丽莲·摩尔来说，孤独的解药就是独处。换句话说，我们不必因为没有别人的陪伴而若有所失，而是应当在内心获得满足，满足于我们每一个人心里所拥有并居住着的那个无边的世界。毕竟，在熙熙攘攘的人群中，我们还是可能感到无比孤独，然而独自站在山巅，却无比心满意足——关键是，反过来也是如此。

本书选录的作家、艺术家和活动家，都对以下问题进行了深思：孤独意味着什么？我们为什么愿意追求独处？怎样平衡独处与交往？为什么拥有一定独处的时间对实现圆满的生命必不可少？不过，本书最显著的特点就是，展示出世界各地、古往今来的人对待独处的不同态度。

古典世界对待极端的独处是非常谨慎的。苏格拉底说，未经审视的人生是不值一过的，但他所指的是有伴侣陪伴的人生——毕竟，柏拉图的对话都是与他人的对话。亚里士多德认为，人在本质上具有社会性。尽管人们认为，他是第一个对隐私做出定义的人，但是他的这一思想却是针对城市生活（即城邦）和家庭生活（也就是家务的管理）之间的差异，而不是针对公众生活与独处之间的差异。他甚至宣称，不能在社会中生存的人，或者不需要社会而能够自给自足的人，必定要么是野兽，要么是神。

然而，在古典文明的末期，发生了一些改变——人们开始选择独处。人们厌恶这个世界的腐败，没有限制的欲望让他们感到疲倦，某些虔诚男女选择了孤独的生活。有的人选择成为隐士，与周围的社会彻底隔绝。有的人组成了自给自足的小社会，在相互陪伴中独处。在孤独中他们开始严格地执行祈祷、沉思这样的仪式，他们的作品影响了几个世纪的思想，告诉人们怎样做人。

终于，在文艺复兴时期，人们开始越来越关注个体，关注他们独一无二的品质和能力，关注他们除了宗教思想之外的内心生活。散文这一形式的发明者米歇尔·德·蒙田便是带着这一明确的目的开始写作——他要在独处中发现并理解世界和自我，陪伴他的只有他的书房、好奇心和宠物猫。

对个体的关注使得人们开始对一个问题进行严肃的思考：独立的人可以获得什么样的真知灼见？17 世纪时，一些思想家开始区分大众智慧与一个人的自我发现。所谓大众智慧，就是人类社会中长期积淀的知识，包括某些宗教思想。勒内·笛卡尔是现代科学和哲学兴起时期的一个关键人物。他认为，他需要通过独处来怀疑他已经接受的现实，通过独处来摆脱大众智慧，揭示世界的真面目。

18 世纪时，人们开始反对由笛卡尔等思想家所提出的那种冰冷而理性的人生观。他们开始关注情感，记录和描写他们善变的情感状态，对比各种不同的情绪与情感。大约同一时期，关注个体生活的小说开始流行起来。人们通常认为，第一部日记形式的英国小说《鲁滨孙漂流记》所关注的便是一个人因航船失事而在荒岛上独处的故事。这部小说的出现并不偶然。它还引发了一个最孤独的行为的兴起：个体阅读。

18 世纪末，许多作家开始在自然的曼妙和美丽中寻找孤独，以帮助他们进行诗意的沉思。但是，当这些人在通过阅读自然书籍或思考最近的小说来探索内心生活时，另一些人开始热衷于改造自然世界。新机器和新的管理技术使生产加速，但需要大量的工人；人们离开乡村从事这些新的工作，不同阶级的城市居民数目开始膨胀。现代人群诞生了，随之而来的是一种新的独处方式。

工业革命带来了一系列政治和社会问题，许多人急切地想逃离这个新的工业世界。一种非常流行的逃避方式就是追求独处，尤其是在那些尚未受到工业进步污染的地方。只有在那里，人们才能真正地接近自然，不受社会和机械化的污染。19 世纪的人们已经变得非常焦虑，担心我们这样残酷地对待大自然，人类将何去何从？大自然的破坏将会对我们的精神产生怎样的影响？

进入 20 世纪，人们开始意识到，许多社会群体一直被我们遗忘——例如，女性很少能够享受这奢侈的独处。英国历史学家爱德华 · 吉本宣称，对话可以增进理解，独处却是培养天才的学校。这样看来，也难怪弗吉尼亚 · 伍尔夫曾说，女性作家和艺术家会如此之少；对她来说，独处是创作艺术的必须。

本书为我们展现了历史上不同人物对独处生活经历的种种理解，也展示了他们劝诫别人从独处中获益的思想。选集包括诗歌、散文、自传和短篇小说。这些形式各异的文章教会我们如何在自由中思考，如何享受深刻的内心生活，还帮助我们面对这样的事实——正如小说家约瑟夫·康拉德所说——生活与梦一样，都是孤独的。总之，这些文章告诉我们怎样与自我建立真实的联系，并且在这一过程中怎样与我们周围的人和地球建立深刻的联系。从这个角度来看，独处关注内在和外在，关注自我和世界。说到底，孤独的解药就是独处的艺术。

方丈记

节选

鸭长明

1153（或 1155）—1216

鸭长明家族世世代代为日本京都的贺茂御祖神社担任神官。但在父亲去世后，鸭长明奏请朝廷，想要承袭父亲、祖父曾担任的职务，未得许可，便离开了神社，献身于诗歌。他最初取得了一些成功，甚至被后鸟羽天皇赏识并招至宫中，在和歌所任职，编纂一部著名的和歌集。但在 1204 年，不知何故，他决定放弃宫廷生活。他发誓投身佛门，成为一名隐士，在孤独中度过余生。他先是在比睿山脚下度过了五年，然后在日野城外的山丘上居住，在那里建造了一座方丈大小的小屋。鸭长明于 1212 年写下了他的隐居经历，此后成为日本文学的经典之作。

流川滚滚，变化不绝。静流积水之处，浮沫沤集，忽隐忽现，不可久留。世上之人，命运大抵也如此。皇都之内，道路似以宝石铺就，高楼平宅参差栉比，长梁斜宇相竞争高，如不朽栋梁，恒立人间。四下求问，能以此古貌自居者寥寥无几。去年旧楼甫一焚毁，今朝新邸又拔地而起；高楼化作废墟，农舍取而代之。住客之命运，如此楼宅，新旧更迭不断。所住之处，人虽甚众，二三十相识之人中，在世者却不及二三。朝死夕生，往复循环。人生即如此象——无异塘上浮沫。人生而赴死，究竟何去何从？府宅与住客乃薄命对手，如朝颜萼上露珠，转瞬而逝。晨露消散，花虽残存，炎日下唯有枯死之命；或露水残存，花容渐摧，黄昏不及而凋摧。

自我初识世事，已过四十春秋，其间怪事咄咄，屡有体味。

安元三年（1177 年）四月廿八日戌时，大雨瓢泼，城东南隅火起，蔓至西北，及朱雀门、大极殿、大学寮、民部省等处，一夜间，火到之处，皆化为灰烬。民间传言，火始于一农舍，位于樋口富巷内，曾用作临时医院。

狂风助虐，烈焰如扇状四散，空中黑尘如云，满眼皆是，与火光相映照。村舍上下尽埋于赤焰之中，火舌转瞬间吞噬邻街。身处如此可怖景象中，孰能镇定自若？有人烟呛喉鼻，仆地不起，有人茫然失措，竟径直冲入火口，欲夺回家产，终遭火焚而亡。人间珍藏之尤物，尽被焚毁，损失之巨，不可计数。公卿府邸被毁者有十六处，平民住宅被毁无数。城中被焚之处，足有三分之一。死者数以千计，牛马牲畜更不可估算。凡人之欲念，其愚鲁不过如此——筑造楼宇，挥霍金银，枉费资源，竟使一切罹险于城之中！

治承四年（1180 年）卯月廿九日，飓风再至，城中自御门京极至六条，皆为风所摧毁。数家宅院之间，竟无一屋站立——或夷为平地，或仅余横梁、桁柱，门闩飞落于三四町外，篱墙颓倒，邻院圮塌，散作一体。毋庸赘言，房屋内四散纷飞，木瓦凌空乱舞，似寒冬落叶，烟尘遮天翳日，目不能视。狂风怒号，耳不能闻片言只语，风暴似地狱阴风，恐怖之极。除房屋毁坏，抢救房屋而伤残者难以计数。飓风最终转害西南，为灾犹剧。飓风虽短，贻祸不浅！众人皆疑此必为大灾之兆。

[……] 养和年间（1181 年），灾祸再至——因时隔之久，记不甚确——饥馑肆虐国土，历两载，使民生涂炭——春夏大旱，秋冬风暴洪潦不绝。各省灾民或抛弃土地，越界逃荒，或离乡背井，谋生荒山之中。种种祝祷、祭祀、礼仪无一灵验。城镇之生计莫不依赖乡村，然乡村颗米无收，终至都市失济。民众求助于市，强鬻其所有，而无一愿买者。一时薪桂米金，乞丐沿街哀吟，悲号声不绝于耳，饥荒连绵两载，黎民不堪其苦，于凄惨中方煎熬过半。

[……] 元历二年（1185 年），京都地震，其势非同一般，地动山摇，河道壅塞，海水倒灌涯岸，地表皲裂，水从石缝间汩汩而出，山崖劈裂，碎石滚入山涧，沿岸渔船随潮汐上下翻滚，路表塌陷，马蹄空踏。无需多言，京畿四周无一完屋，民居寺庙，塔楼庭院，或崩裂，或陷入地堑，灰尘冲天，如滚滚浓烟。

[……] 此生之可恨处，皆因虚荣与琐屑之事，于自身，于居所，无不如此，皆有前论。烦恼之多寡，与地位之高下相当，二者皆无穷尽。平民可得权贵荫庇，虽有

一时之快，却无恒久之福，身处困蹇仍须强抑涕泪，遏止本情，不论擢降宠辱，终日惴惴然，坐立惊惶，如黄雀之近鹰巢。贫寒之人若与富绅比邻，则耻其外表穷蹙，倍感抑郁，乃谄谀取容，缩首藏尾，忐忑不已。目睹妻儿家仆，则暗妒邻居之富，彼之鄙薄亦早有耳闻。身居逼仄，倘有祝融之灾，则无逃身之所；远居郊甸，往来不便，则途中多有匪盗之忧。权显之人日益贪饕，索居之人则为世嫌弃。无钱一身轻，有钱一身愁。仰赖他人庇护，是为奴隶；庇护他人，则为自身情奴。随世沉浮，则身不由己，傲世独立，乃被视作狂狷之士。如何方能觅得片刻安宁，俾使内心得须臾更新？此福焉在？

吾多年寄居曾祖母家，然自家道中断，渐染病痛，不能留居于此。彼时年方而立，遂依愿建屋而居，其大小仅及先前居所之十一。小屋只有一间，称其为屋，未免差强，虽勉强构墙，然无钱筑门，乃以青竹为柱，屋状如车棚，风吹雪打之时，实难全身。小屋邻河道而立，处洪水道中，盗贼易扰之处。吾在此度日，思索世界之空虚。三十余载悄然逝去，期间审度惨淡一生，坎壈迍邅，静观身周世事沉浮。年届知命时，别离小屋，意欲遁世。余孑身一人，无妻儿家室之羁绊，更无官职俸禄，于此世间有何牵挂？乃闲卧大原山，与云为侣，又历五春秋。

年届花甲时，吾如一滴露，行且消失，乃建一栖身之庐，权作最后一跃，仿似行旅支帐夜宿，或若老蚕织茧以终了。此庐与余中年所筑屋比，不及百分之一。随年岁增长，栖身之所渐狭。余所居小庐非同寻常，仅一丈见方，高不及七尺。予不甚求栖身之庐，未尝就地固筑，乃择地基，其上搭框架，以茅覆顶，各部以弯钩固定，地点稍不称意，便可轻松移动。迁家之役，不值挂齿！运料之需，止几小车足矣，一切雇佣花销，即为建筑之开支。

自隐居日野山深处，小屋未尝有变，南面排置竹篾，作活动屏风以障日，西侧造阏伽棚，供放阿弥陀像，眉间落日余晖映照。阏伽棚帘门前，置普贤画像与不动明王画像，北侧装滑门，其上裱纸以为窗棂，门上悬一小架，其上放三黑皮革盒，内置和歌、管弦书及《往生要集》，可颂极乐世界。门旁竖筝与琵琶，即所谓折筝与合琴。屋内东侧铺以长蕨穗，以草稇作寝床。小屋东向有窗，窗前立一书台，近床头放一炭火盆。北侧辟一花园，以杈枝作矮篱，环绕四周，园中种草药。吾暂寓小屋即此模样。

至于周遭模样，亦须一说。南侧搭竹筒，建蓄池，环以垒石。新林与屋檐并肩而生，故不必远道拾柴。此地名为外山，木葛藤蔓盘桓道中，绝不见人迹。谷中林木茂盛，唯西部有一缺口，乃参悟冥思好去处。春看紫藤装彩，纤美如紫云。每西风渐生，芬芳随来，杜鹃哀啼，似引我到山中。秋听蝉鸣盈耳，似空蝉脱壳之悲鸣，哀世间纷乱，其声四处可闻。冬看飞雪积散，消长如世界罪孽。

诵经疲倦时，随意而卧，无旁人之妨碍，无朋友之责备。予未尝潜修无言道行，孑身而居乃修得口业。不必墨守戒规，如此绝对孤独，有何戒可破？随石磴蜿蜒，下至海边，见晨间渔船破浪而行，穿梭于河面，因记起沙弥满誓之好诗；黄昏潮落时，听风中桂叶沙鸣，心驰浔阳江水，效源都督抚琴而歌。兴致盎然，浮想联翩之时，细听松林涛声，如微风奏乐，婉转似《秋风乐》，潺湲似《流泉曲》。无吟歌抚琴之技，亦不必取悦他人之耳，只求自养心性，独歌独乐。

山麓亦有小庐一间，以棘条编成，为守山人所住，有一子年少，时访山中，予便与其相伴漫步。此子年方十六，而余已届花甲，年龄虽悬殊，相交则甚欢，二人常相随而出，拔茅花，采岩梨，刨山芋根，摘野芹叶，或者闲步于稻田上，水缸间，捡落穗以结草。天高日朗时，两人共登山巅，远眺天际，木幡山、伏见里、鸟羽、羽束师、昔日旧庐，朦胧可见。如此盛景，无人可据为己有，而予亦能自得其乐。

兴致远眺，则不必有行走之苦。沿山顶而行，翻炭山，越笠取，参石间寺，拜石山寺，或穿行于粟津原荆棘之中，不忘踏访先贤蝉歌翁名碑——不需行跬步；归来途中，随一年时节，沿途采花折枝，或满枝樱花，或秋枫红叶，或采蕨菜，或拾落果，胜似珍宝，取其部分供奉阿弥陀佛前，或自留以馈他人。

夜静时，看月轮皎白，透过窗棂，遂念古之伟人，近处林中猿鸣悲哀，涕泪沾巾。草中飞萤明烁，似睹远处真岛篝火，拂晓雨声淅沥，不禁想起林叶间狂风呼号。棕雉呼卢声不绝，仿似考妣悲啼，山鹿颇习人性，漫游于山野，使我知隔尘世之杳。

寒夜中，拨炭火盆，翻余烬使之复燃，老朽之躯寤梦，其乐如斯。荒山绝非恐怖之地，枭声幽咽，却使山间别具趣致。山原万象，令智者、哲人浮想联翩。

初来此地，并无意久留，此刻则居山中已有五载。木庐饱历风霜，屋檐覆满枯叶，地面青苔漫生。自归隐山中，帝都之听闻时时入耳，常闻显贵死讯，黔首之死则不可罗列。宅邸焚毁之事不断，屡有耳闻，唯独小庐安然直立。木庐虽窄，然夜有床眠，昼有席坐，何不乐哉？蟹居于微壳之中，以此为家，乃知其天性也，鹰立于巉岩之上，乃惧人也。余亦如此。知己知世之人，无所求，无所往，只求静居，快乐无忧。然则世上之人将有何为？建岑楼而不为一己之乐，但为妻眷，为亲朋，为主君师长，为存贮，为养畜。吾之造庐，为己而不为他人也！何哉？世事变迁，世间竟无一相知之人，无一可信之仆。屋宽一尺，于我何益？我将邀何人同住？以何人为仆？交友之人，往往仰就权贵，忠心赤胆之士却不可觅，不若予之以丝竹为友。事他人者，其意多在获奖惩，谋恩惠，不满采葵之交淡。于我而言，为己之奴不若为己之主，凡有必为，则必亲躬。虽偶有心之烦苦，较役使他人更觉心安。如需徒步，则徒步而行；虽有身体之劳，相比秣马脂车甚好。吾一身两仆，手取所需，足负所趋——手足皆为余所驱使。心知身之苦劳，故身疲即命其歇息，若非精神饱满，不复累以重负。倘若不免劳动躯体，亦不过劳之。躯体倦怠之时，亦不使心随之慵惰。长劳作则身获其益，久弛惰则身罹其害。再者，使他人劳苦，则是抑其意志，是为罪恶，因而不可渔翁得利。

至于衣食，余亦有所言。藤衣、麻衾足以蔽体，山中野果、白茅芽足以果腹。不混迹尘世，则不必介意仪表；不近奢侈，菽水亦是美食。以上所言，吾不会道于富贵之人，只以自身之今昔相较。自余遁世以来，无所妒忌，无所畏惧。将此身委付于上苍，无忧无悔。吾身如轻云，浮游于苍穹。上天既不为我所信，亦不为我所疑。人生所有乐趣，无不以睡枕为重，使余深夜入眠，白日里一切所期，皆发乎自然之美，赏心悦目。

所谓三界，一切取决于心。心若安适，牛马之利、七珍之奇，亦有何用？宫庭楼榭、高堂华宇，不能以乐。于蜗庐之中，予获乐极至。偶赴皇都，则因穷蹙之相而略生愧，归来蜗庐，则怜悯俗尘中之愚众。凡不信余言者，请君试想，飞鸟、游鱼之命若何？非鱼，则不知鱼之乐。众鸟羡林，归而不倦。非鸟，亦不知鸟之心。结庐归隐，相忘于天下，非隐者，不知隐者之乐也！

人生如斜月，落山而隐。余将面对三途之晦暗。过去所造之恶业，当如何忏悔方能出三途？佛陀如是教诲，万法不可执着。恋慕茅庐亦滋生罪障。耽于寂静亦障碍解脱。为何终日沉溺于这浮华世界之空欢喜？

拂晓静谧时，吾曾如是参禅自问："汝既已遁世，隐居荒山野林，则应心如止水，修行佛道。汝形如圣人，心中却充满浊秽。汝之蜗庐辱没净名居士，持戒远不及周利槃特。贫贱与累世习气使尔业障重重，或妄心乃使尔无法狂心顿歇？"吾心当如何作答？余无言以对，硬生生搅动舌根，持诵圣号不辍，除此之外，别无他法。

时建历二年弥生晦日（1185 年 5 月 1 日），桑门莲胤于富山木庐记。

论独处

米歇尔·德·蒙田

1533—1592

蒙田出生于法国波尔多附近的一个富裕家庭。他从小就接受了人文主义教育，父亲要求他在家里只讲拉丁语。后来，蒙田被送到寄宿学校，最后到图卢兹大学学习法律。随后，他在法律领域取得了巨大成功，不仅曾在法院任职，也是一名伟大的政治家。在法国宗教战争期间，他担任了调停者的角色，又两次当选波尔多市长。1571 年，他从公共生活中退出，在他称为“城堡”的塔楼里独处。正是在这里，他写就了自己的《随笔集》。这部作品在某种意义上开创了散文体的先河，并对西方哲学和文学产生了深远的影响。

我们暂且搁置那个老生常谈的问题，不要去讨论积极入世和孤独生活的差别。卢克莱修有一句话说得好：“我们生来就不是为自己，而是为公众的。”关于这句话，让我们来大胆地问一下那些投身公众事务的人吧。请他们摸着胸脯告诉我们，他们是为了图谋官职，获取私利，还是为了服务国家？一个人在哪里都可以做好事或者做坏事。但如果比亚斯所说的是对的——坏人占大多数，或者一千人中没有一个好人，那么，众人的相互影响则是非常危险的。一个人必定要么效仿恶行，要么憎恶恶行，然而这两种态度都很危险——无论是由于作恶的人众多而去效仿，还是由于他人与我们不同而憎恶。

从事海上贸易的商人很聪明，因为他们拒绝让品行不端的人上船，认为与这些人为伍，将是他们的不幸。有正直无邪的人陪伴左右，永远是一种幸运。这就是阿尔布盖克的想法。他受葡萄牙国王曼努埃尔指派，前往印度就任总督一职，途中遇到极大的危险，就把一名少年扛在肩上，希望通过他的天真无邪得到上天的保佑，顺利登岸。夏隆达斯认定，与坏人交往有罪，并惩罚他们，把他们视为坏人。有人谴责安提西尼与坏人频繁往来，他回答说："医生在病人中间活得好好的。"他的回答在我看来并不能令人满意，因为医生的职责固然是治病救人，但疾病的传染也会损害他的健康。我们常常以为，摆脱了生活的某个困境就等于高枕无忧，于是云游天涯；然而，没有了理性和审慎的引导，

策马飞驰逃苦忧，
异国土地遇前愁。

一旦世俗的杂念占据了我们的心灵，就会跟在我们身后，进入修道院，来到沙漠中。如果一个人不能首先断绝妄念，卸除思想的重负，他就会像一个病人，每到一处，病痛就会增加。

或许，你会说，你已经挣断了锁链，
可是，你就像那只咬断绳结的狗，
逃跑中沉重的链条叮叮当当响个不停。

贺拉斯说:“当一个人变成欲望的俘虏，还有什么邪念不会占据他的心灵？还有什么恐惧不会令他颤抖？他的狂妄、淫逸、堕落、倨傲、懒怠怎么不会让他堕入悲惨的深渊？”此时，我们才开始徒然地通过独处寻找真正的安宁。即便在拥挤的都市里、在国王的宫廷中，只要心态合适，都可以独处，但摆脱众人可以有更开阔的空间忏悔罪恶。我们可以享受这世间的财产和快乐，但不能任由心灵受其摆布，使之成为幸福的主宰。我们必须留出一片清静之地，一个私密的房间，为我们所独有，在此找到真正的自由。对懂得恰当利用孤独的人来说，这种退隐是一个独立的世界。当诺拉城被蛮族洗劫一空后，主教波利努失去了所有财产并成为俘虏。他向上帝祷告:“主啊！保佑我不要因这些损失而烦恼，你知道，我一无所有，因此一无所失。我的财富世界无法夺走，我毫发未损。”

那些将一生韶华付与国家的人，似乎最有理由谋求独处。我们已经为他人奉献了太多生命，让我们至少把这一点余生留给自己去安逸地享受吧！既然上帝赐予我们闲暇，让我们精心计划撤退的方案，那就打好包袱，早早与同伴告别吧！我们必须斩断各种联系，无论它们有多么牢固；当我们与牵挂的人分离，不必紧紧相拥，不然我们只能被强迫分离，变得不再完整。当我们无法向社会多贡献一点好处，与社会告别的时候就已经来临；如果不能借与他人，就不要向他人借取。当我们气衰力竭，不再对他人有用，就把这力量收回，锁在自己身上吧。在这自然的衰竭中，我们对他人变得一无用处，那就让自己不要变成他人的累赘吧！请我们主宰好自己，尊敬自己的理性和良知，为迈出的错误一步而羞耻。正如毕达哥拉斯所说，“世上能充分尊重自己的人，少之又少。”苏格拉底说过，“年轻人应接受教育，成年人应有所作为，老年人应退隐公务，逍遥度日。”

我必须承认，有些人在气质上更适合退隐。优柔恭谦、情感细腻、不甘受羁绊的人，会欣然接受这种变化，我就属于此类；积极活跃、热衷参与一切的人则不甘寂寞，不愿放弃权力和地位。在我看来，我们理应利用这些外在条件，只要这些事物对我们有益，但是，我们不能把这些作为幸福的主要根基。

本性和理性都不允许我们成为他人好恶的奴隶，也没有让我们根据宗教虔诚的原则判断命运祸福，剥夺我们所有——投钱入河，剜掉双眼，自讨苦吃。有人认为，此生我们的享乐越少，来生的幸福就越多。在我看来，这些做法都有违理性。既然受到命运的眷顾，我已经知足，随时做好失宠的准备。当我依然能够逍遥自在，就要让想象驰骋，去描绘那即将降临的厄运，就像在和平时期要演练刀枪长矛，假想激烈的战斗。阿凯西劳斯用膳时用尽各种金银器皿，尽享荣华富贵，我并没有觉得他丧失贤德，而是更加崇敬他在奢华与节制中享受一切，而不是放弃一切享乐嗜欲。

我懂得苟全生命的极限范围。当我看到门外那可怜的乞丐常常比我健康快乐，就以他的性情调节心态。我以同样的方式树立起榜样。一设想失落、疾病、死亡已经离我不远，我就能够安然地接受苦难，隐忍生存，因为最卑贱的人类可以默默忍受，毫无怨言。我绝不相信粗璞的灵魂会比精致的灵魂更高贵，也不相信习惯的力量能盖过智慧的力量。想到尘世间一切恩泽是多么微不足道，在我能尽享荣华的时候，便向上帝祷告，让我在这人生的沉浮颠簸中心满意足。

退隐之人所选的事业不应当繁重，也不应当悠闲，否则我们将在孤独中碌碌无为。每个人都应该以自己的喜好调节自身。关于这点，我们来听一听小普林尼的意见。在给朋友鲁弗斯的一封信中，他说："我劝你退隐后潜心钻研，把一切可以属于你的都据为己有。"他指的是名誉。西塞罗的观点也与他类似，"退出公务而以闲暇写作，则可名传千古。"既然说要退世隐逸，则隐姓埋名，全身而退也算合情合理。然而，这些人只能做到一半，无疾而终，他们一方面宣布退隐的决心，一方面却自相矛盾地抢夺享乐的果实，实在滑稽可笑。

那些因虔诚的信仰而追求退隐生活的人，幻想中充满来世的神圣允诺。他们是更加理智的人。上帝是他们的目标，无限美好，无所不能，因而灵魂有充分的自由来满足它的欲望。没有名誉与地位，对他们来说却是一种优势，为他们换来永久的健康和欢乐。死亡是渴望的目标，因为它是通往完美的道路。因此，这种追求幸福和永恒来生的希望，成为他们放弃今生享乐和舒适的理由。那些能永远用虔诚照亮心灵的人，能够在退隐中创造美好生命，远胜世上一切幸福。

但是依照西塞罗的建议，既无法实现目标，也无法实现手段，这样做就像告别微恙却迎来大病一场。潜心钻研和从事其他事业一样令人痛苦，一样是健康的敌人，然而健康却是一个人的首要考虑。

书籍使人愉悦，然而，如果在潜心钻研的过程中，我们失去了最好的两个品质——乐观和健康，我认为没有任何可以弥补这样的损失。至于阅读，我只喜欢那些轻松快乐、引人遐思的，以及那些给我劝诫，使我从容面对生死的书籍。我们的事业只为保存足够的气息，只为远离倦怠，因为极端的慵懒和无为将只能带来倦怠。

聪明的人会为他们想象一种精神的生存，他们拥有坚强、活跃的灵魂，但是，对意志薄弱的我来说，能拥有肉体的享乐而生存就足够了。岁月剥夺了我最舒适的享乐，我将放纵欲望去追求最适于暮年的享乐。岁月从我们手中夺走了一个个快乐，我们应当紧紧攥住仅有的享乐。

"让我们享受这当下的时刻吧，留给我们的日子已经所剩无几。我们很快将归于尘土，就像一段传说，或者一片阴影。"

普林尼和西塞罗追求功名，而我的想法与他们不同。对其他所有人来说，功名最不适合充当孤独的伴侣。荣耀与隐逸格格不入，不可能携手同居。那些追名逐利的梦想家仅仅把他们的胳膊和双腿从人群中抽了回来，双眼却紧盯着原来的目标。他们后退只是为了跳得更高，通过更大的努力，他们要让自己落入那喧闹的人群当中。

让我们来看一看另一个极端——塞涅卡的建议。塞涅卡是一个与众不同的哲学家，他写信给朋友，劝他们退隐，不要去追求那尘世的荣耀与浮华。"迄今为止，"他写道，"你们的生命一直在漂泊游荡中度过，请到海港里来迎接死亡吧。你们已经把第一部分生命献给了阳光，就把剩下的生命献给阴影吧。放弃你们的事业是不可能的，除非你们能够割舍事业的果实。所以，就请你们放弃功名利禄吧。让我忧虑的是，前生的光明将把你们照得太亮，会尾随退隐的你们。随同你们所有的享乐，放弃尘世赞许给你们的满足吧。至于你们的知识和才能，不要太在意。只要你们从它们身上有所收获，它们就不会不发挥作用。不要在意世人对你们的指指点点。收敛你们的灵魂吧，你们完全懂得真正的幸福，越是享受便越理解得透彻。满足于你们的幸福吧，不要再贪图扩大你们的名声或者延长你们的生命。”

这才是真正的哲学，而不是普林尼和西塞罗所推荐的那种夸夸其谈、华而不实的理论。

论可以怀疑的事物

节选

勒内·笛卡尔

1596—1650

笛卡尔是公认的一流数学家和哲学家，他创立了现代哲学，并在现代科学出现的科学革命中发挥了重要作用。正是由于这些原因，他对人类存在和人生命的理性、冷漠的观念受到了攻击。然而，他最为人所知的，是他独特的怀疑方法，这使他质疑来自他感官的一切。这种怀疑引出了他举世闻名的断言：我思故我在。他的《第一哲学沉思集》（1641）以“论可以怀疑的事物”展开，我们将其摘录在本书中。对笛卡尔来说，只有在孤独的思想中，他才能发现人类所能知道的真相，发现人类是如何认识真理的。

有一个问题，自从我第一次意识到它，已经过去了好几年。那就是，从幼年起，我就已经接受了许多错误观念，并将其作为事实保留了下来，而且自此之后，我根据这些原则所做出的事是极其可疑的。从那个时候起，我就坚信，如果我想建立一套经久不摧的科学上层建筑，在有生之年，我就一定要清除掉我已接纳的这些错误观念，从根基展开重建工作。但是由于这一工程规模浩大，我一直等到思想成熟才开始执行这一计划，不再期望在以后的任何年龄阶段会具有比现在更强的能力。因此，我已经耽搁了很久，而现在正是采取行动的时刻，不能再思来想去浪费时间了。今天，我把精神从各种干扰中解放出来（我很高兴没有受到任何欲望的干扰），又因为我在恬静的隐居生活中拥有了充分的闲暇，因此，我将会详细认真、无拘无束地将先前的所有观念进行一次大规模的颠覆。

不过，为了实现这一目的，没有必要证明所有的观念都是错误的，那样的结论我永远无法得出。然而，我的理性现在告诉我，相比明显错误的观念，对于那些并非完全确定无疑的观念，我的谨慎怀疑不能有丝毫减少。因此，如果在每一部分中都能找到怀疑的证据，则足以使我有理由推翻全部。为了实现这一目的，也没有必要对每一个信条都一一审查，这样将意味着没完没了的工作。但是由于从根基下方拆除势必会引起整座大厦的坍塌，我首先将批评先前所有观念所依据的原则。

到此刻为止，凡是我当作最真实、最可靠而接受的东西，都是通过感官直接或间接得来的。然而，我发现，这些感官有时会误导我们，因此我们应当谨慎对待，对于先前曾经欺骗我们的事物，不要给予绝对的信任。

不过，或许可以这样说：尽管感官有时可能会在细小的事物上误导我们，有的距离我们很远，无法进行近距离观察，但是，真理还有许多其他的表现形式，其真实性显然不容置疑。例如，我现在就在这里，坐在火边，身上裹着冬袍，手里拿着这张纸，以及其他诸如此类的表象。我怎么能怀疑这两只手和这个身体是否属于我呢？除非我把自己和疯子相比。那些疯子的脑子被胆汁的黑气侵扰和遮盖，导致一贫如洗的他们口口声声称自己是君主；明明浑身一丝不挂，却宣称自己黄袍加身；或者宣称他们的头是黏土，身子是玻璃，抑或说他们是水瓢。如果我就像以上所述那样滥用我的言行，我的疯癫程度就一定不比他们差多少。

尽管这可能真会发生，但是，在此，我必须要考虑到我是人，因而会有这样的习惯，即把疯子醒着的时刻向他自己呈现的事物——或者更加荒唐的事物——同样也在睡梦中呈现给自己。不知有多少次，我梦到自己身处这种熟悉的情境，明明是一丝不挂地躺在床上，却梦到自己身穿衣服，站在炉火旁这块同样的地方。不过，此时此刻，我确确实实在睁大双眼看着这张纸；我晃动着的脑袋并没有入睡；我有意识地伸出手，并带着明确的目的感受着它；睡梦中的情景并不像现在这么清晰。不过，我不能忘记在睡梦中也曾被相似的幻觉所欺骗。仔细思考上面的情况，我非常明白地看到，睡梦与清醒之间并不存在明确的标记，能将二者区分开来；这一发现让我大为惊讶，并在惊奇中让我几乎相信我正在做梦。

那么，让我们假设此刻正在睡梦中，睁眼、摇头、伸手等所有这些细节只是幻觉；甚至既不拥有完整的身体，也不拥有我们所看到的双手。然而，我们至少必须承认，睡梦中呈现的事物仿佛画像的呈现，除非模仿现实事物，否则将不能形成；因此，这些一般性的事物——也就是眼睛、头、双手、整个身体，无论如何都不仅仅是想象，而是真实存在的。因此，事实上，即便画家在研究如何用最离奇、最非凡的形式呈现人鱼和人羊的时候，也无法赋予它们绝对新的性质，而只能用不同的动物混合而成；或者我们碰巧想象出某种新奇的事物，与人们见过的任何事物都不类似，至少确定的是，它们的颜色却是真实的。同理，尽管一般的事物，即（身体），眼睛、头、双手，等等，都可以是想象出来的，但是，我们也必须承认，至少有比这些更简单或更普遍的其他一些事物是真实存在的，而在我们的意识中存在的所有这些事物的形象，无论真实与否，无论是虚构还是荒诞，就像某些真实的颜色一样，都是有形状的。

这类物体似乎都拥有物质本质和延展性，还拥有延展事物的形象、质量或体积、数目，以及它们所处的地方、所在的时间，诸如此类的属性。

因此，从这个现象，我们或许不会得出虚假的结论——物理、天文、医学，以及所有其他以复合事物为考察目的的科学，事实上都是可疑的；而数学、几何，以及其他同类的科学，由于它们只考察最简单和最普遍的事物，并很少探讨它们是否真实存在，因而都包含某种确定无疑的成分。这是因为，无论我醒着还是睡着，二加三等于五、正方形有四个边，这些都是确信无疑的；这样明显的真理，似乎不可能有人质疑其正确性或确定性。

然而，很久以来，我的头脑就一直被这样的信念所占据——有一个全能的上帝，他以我现在的样子创造了我。可是，我怎样才能知道，他没有做出这样的安排——即本来没有地，没有天，没有任何延展的物体，没有形象，没有大小，没有场所，却偏偏让我相信（让我开始产生对所有事物的察觉）它们无法以我不能察觉的形式存在？再者，有的时候，我认为其他人在某些事情上是错误的，尽管他们对这些事有确定无疑的知识；同理，我怎么才能知道，当我每一次将二加二，或者数正方形的边数，或者做出更简单的判断——假若能够做出更简单的判断的话，我没有同样受到欺骗呢？或许神的意志没有想让我受到欺骗，因为人们说他是至善的神。然而，如果上帝造出我，让我总是受到欺骗，这与他的至善相抵触，那么，他让我偶尔受到欺骗也同样与他的至善相抵触；然而，他却容许出现这样的情况。

有的人也许宁愿否认存在这样一个强大的上帝，也不相信没有什么事物是确定无疑的。不过，现在我们先不要去反对这个观点，而是假定在此所说的一切关于神的说法都是荒诞不经的。然而，无论假设我如何成为我存在的状态，是因为命运还是因为偶然，是因为一系列不间断的因果，还是因为任何其他方式，明确的是（既然受到欺骗或发生错误是一种明确的缺陷），我的存在非常不完美，常常受到欺骗，这种可能性会随着他们所认定的造成我存在的原因的力量减小而增大。对于这种推理，我当然无可辩驳，但是我不得不承认，对于先前我信以为真的观点，没有一个是我现在不能怀疑的。我的怀疑，不是源自匆忙的推论或轻率的总结，而是源于令人信服的理由和深思熟虑。这样，当我今后想要发现任何确定无疑的事物，我就更应该谨慎对待，不轻易地去同意相同的观点，就像我看到有明显错误的事物而产生怀疑一样。

但是仅仅做出这些评论还不够，还应当把它们谨记在心。因为那些陈旧的、司空见惯的观念会不断出现，与我们长期相伴，使我们习以为常，这给了它们违背我们意愿而占据我们心灵的权力，并征服了我们的信念。只要我认定它们属实——也就是说，尽管观念在某种程度上可疑，但正如我先前所说那样，它们仍然具有很大的可信度，令人更有理由相信而不是否认——我就不会放弃尊重和信任它们的习惯。正是因为这个原因，如果我故意做出相反的判断来欺骗自己，暂时假定所有那些观念都是根本错误的，是想象出来的，直至最后把一切新旧偏见加以权衡，我的判断就不再偏颇，通往发现真理的道路不再被错误的习惯所阻隔。我相信，我这样做是不会错的。因为我确信，在这条道路上既不会产生危险，也不会产生错误，同时，当下我也不会产生过多的怀疑，这是因为我现在寻求的不是行动，而是认识。

因此我会假设，千方百计欺骗我的不是至善的、作为真理源泉的上帝，而是某个异常强大并具有欺骗性的妖魔。我会认为，天空、空气、大地、颜色、形象、声音，以及我们所看到的一切外界事物，都只不过是梦中的幻觉，借用这些手段，他给我们设下了圈套，以骗取我们的信任。我会认为自己没有手，没有眼睛，没有肌肉，没有血液，没有任何感官，只是错误地相信自己拥有这一切。我还要继续坚定地固守自己的信念——假使凭借信念，我还不足以拥有获取真理的能力——我会至少竭尽自己的能力（即搁置我的判断），坚定地捍卫我的权利，不对错误的事物表示同意，无论它多么强大，多么诡计多端，也不要受到它的欺骗。然而，实现这一目标的道路异常艰难。某种惰性会让我不知不觉地回到以往的生命道路上来。就好像一个俘虏在睡梦中享受一种想象的自由，但他开始怀疑一切事不过是一场幻象，于是他害怕醒来，并和这些愉快的幻觉密谋以延长这个骗局；我也不知不觉地退回到先前的一系列信念之中，害怕从沉睡中醒来，害怕在这安静的休憩之后而来的艰难的清醒带来的不是白日的曙光，而是柔弱无力，无法驱散从刚刚提出的那些问题上升起并笼罩于其上的黑色云团。

孤独赞

亚历山大 · 蒲柏

1688—1744

蒲柏是一位富有的天主教亚麻布商人的儿子，出生于英国反天主教情绪强烈的时期。当时有几项法律限制天主教徒投票、上大学甚至在某些中学就读的权利。因此，蒲柏所受的正规教育经常中断，他基本上是自学成才。尽管存在限制和持续的健康问题——他 12 岁时患上了结核性脊椎炎，从此被病痛缠身——他仍学会了多种语言，他的广博学识让人们惊叹不已。最重要的是，他的诗歌能力惊人。他的《孤独赞》就收录在这本书里，这首诗是在他

11 岁时写的。他的第一本诗集《田园诗》于 1709 年出版，时年 21 岁，这使他一举成名。后来，他成了当时最著名、最成功的英国诗人，以清新的诗句和尖刻的讽刺而闻名。

快乐之人，其欲也陋，
先父薄田，愿长相守，
生斯长斯，呼吸无忧。

渴饮牛乳，饿食稻粱，
羊毛作衣，夏树遮阳，
冬有薪火，其乐无央。

超然世外，乐享天福，
悠悠终日，岁月其除。
心广体健，唯我静殊。

夜至而眠，读乐相间，
娱我心志，乐而以甘。
童真易足，思之愈闲。

唯愿此生，无闻无见，
恬然离世，碑碣皆免。
莫以盗石，勒我所眠。

名不副实的孤独

塞缪尔·约翰逊

1709—1784

约翰逊身形高大魁梧、信仰虔诚。他讨厌独处，记忆力惊人，机智锐利，阅读量极大，以致几乎失明。他最为人所知的两部作品，一部由他所写，一部则是关于他的书——第一部是他的《约翰逊字典》，在坐了长达九年孤独的冷板凳后于1755年出版，此后一百多年一直是英语的标准词典；第二部是《塞缪尔·约翰逊传》（1791），由约翰逊的朋友兼崇拜者詹姆斯·博斯韦尔撰写，被认为是有史以来最优秀的传记之一。约翰逊也是一位伟大的文学评论家、旅行作家和多产的杂志撰稿人。他的《名不副实的孤独》是体现他的口才和辩才的经典作品，显示出约翰逊最为叛逆的一面：与本系列中的许多其他作家不同，约翰逊警告人们，不要过多独处，人类在社会中合作最好。

在喜欢沉浸于思考的那一部分人之中，绝大多数总是对他们退隐生活的乐趣津津乐道，每一个时代对这一话题都有精彩的论述，都包含对乡村生活的宁静与幸福的描绘。

我不知道那些热情洋溢地赞颂退隐生活的人，是否考虑到他们的言论有多么贬损人类，他们宣称只有离开社会才能获得美妙、理想的事物；宣称我们彼此的帮助无法与我们恐惧的邪恶相提并论；宣称一些人的善意被多数人的恶意抵消；宣称社会的保护需要以昂贵的代价来换取，必须面对各种险恶，并承受其压迫。

这种对幸福退隐生活的虚假描述尽管是对人性的污蔑，却在这个世界上有着广泛影响，以至于每一个人都乐于想象能够有朝一日获得这种退隐于世的机会。有些只是满足于在想象中退隐的人，他们会心满意足地相信，来年一定会实现安静的田园生活，讨论他们一辈子从未有机会从事的工作，然后从容地死去。但是，同样有许多的人，他们要么具备毅然的决心，要么拥有坚定的信念，跃跃欲试地去体验这种人们认为可以远离忧虑和危险的状态，退隐江湖，为的是要么增进幸福，要么积累知识，要么提升道德。

向往退隐生活的人，就像所有其他阶级的人一样，大多没有更高的志向和远见，而只是满足于当下的欲望。这其中，有些人高傲鲁莽，只有索取，不愿图报，匆匆从社会逃遁；他们认为没有一种生活状态是理想的，除非远离责难，逍遥自在，总是能够心想事成，不需要根据别人的方便或意见规范自己的行为。

还有些人，他们心思细腻脆弱，稍微偏离正直都会轻易让他们感到冒犯，他们厌恶无知和粗鲁，总希望从与人的交谈中获得优雅、纯洁和真理，这是生活的庞杂所不能提供的。这些人急于从生活的粗俗、虚假和残酷中退隐出来，在一方私密的空间中找到至少一点消极的幸福，摆脱时常搅扰他们的公众场面的冲击和骚动。

对于这两类信徒，退隐不能给予他们所要的东西，尽管有各种热情赞颂退隐的慷慨馈赠。高傲的人会很快发现，逃离对手就是丢失赞美者，不被人看见的伟大一钱不值，不被人感受到的权力一文不名；那些集中一切感官关注人们缺陷和过错的人，会发现把注意力从他人转移到自身并不会带来丝毫改进——他一定会很快转向新目标，将挑剔的眼光永远指向他人而非自己。

还有的人只是因伟人名号的诱惑而遁入隐退，希冀在宁静中找到政客与统治者趋之若鹜的美妙阴凉——这些人同样会因失望而慨叹，因为他们没有考虑到，他们效法的对象来到畎亩之间，带着满腹的精打细算，带着对功名利禄的钦羡，带着对丰功伟绩的缅怀，他们一心想着庆典，等待胸中宏图的种子经过高远的谋划而成熟发芽。退隐对这些人而言，就是于疲倦中小憩，是争取发挥功用的机会。然而，一个人无所贡献，就不能以显耀自居博取众彩；一无所知，就不能在反思过去中找到快乐；懒散无为，就不能对未来前景抱有希望。对这样的人，退隐又能赐予他什么呢？最明智的决策，就是再一次消失在那茫茫大众之中，用最时兴的言谈填充自己空虚的思想。

还有的人把退隐当作哲学的父母，抱着进一步亲密接触科学的期望而退隐，正如驽马到林中与厄革里亚展开对话一样。这些人常常不需要理由追悔往昔。潜心的研究需要思路连贯和持久，却常常被庸俗生活中的消遣分散精力；同样，有的时候，思想必须与同时接触大量的事物；因此必须与这些事物保持距离，以免混淆记忆，分散精力。

尽管独处可以获取知识，应用知识却需要通过广泛交流。知识若不能传播，则学之无益；一个人若不能表达自己的思想，则永远不能成功地施教。

即便知识的获取也常常得益于社会的种种便利——一个人如果从不拿他的思想与他人交流，则会理所当然地默认他最初的思想，很少发现他人提出的异议；因此，一个人自以为真理在握，却只是在不停地玩弄早被揭穿的谬论。一个人的研究，倘若既无同伴也无论敌，则总为自己的进步鼓掌喝彩，自命不凡，但他不知道，世上还有人能与他匹敌，或更胜一筹。恐怕还要补充一点，一个学者，如果退隐于世，会很快发现，因赞美和效仿而燃起的热情之火会黯然熄灭，他只能借着私密的清净昏昏睡去，而不再刻苦钻研。

还有一类隐士，他们的目的值得我们致以更崇高的敬意，他们的动机值得我们更严肃地思考。他们从世上退隐，不仅仅是为了沐浴在安逸的生活中或者满足好奇心，而是为了远离尘世的烦扰，把更多的时间投入信仰的种种义务之中；他们要以更严格的戒律规范行为，以更频繁的冥思净化思想。

对那些超然于尘世迷雾之上的人，我没有资格给予他们指导。对那些已经“经历了时世磨难”，不再为一切烦扰，只待“最终抛弃凡尘永久纷扰”的人，我向他们表示敬意。我全然认可他们的行为，而无须审视任何细节；然而，我也真诚地希望，在邪恶的诱惑日益猖獗，嚣张跋扈地招摇过市之时，美德不要韬光养晦，隐藏它对世界的影响；我还希望美德无所畏惧地将它天然的尊严发扬光大。孤独中的虔诚，就如同在沙漠中绽放的花朵，可以把它的芬芳献给天庭的微风，愉悦那些游离的灵魂，让它们审视上帝的作品和人类的行为；然而，它若对这尘世的万物不能有所裨益，无论如何洁身自好，也总是缺乏性善的神圣光辉。

造物主赋予我们如此不同的性情和迥异的能力，其初衷就是要我们每个人都能享有幸福。毫无疑问，他要让我们各显神通，去获取这一幸福。然而，有些人不能抵挡不合时宜的诱惑，无法克制鲁莽的冲动，在眼前各种诱惑的唆使下遁世；其中的一个诱惑，就是要他们速速离开无法征服的敌人，在平静的孤独中蓄养美德，然而，这美德太过脆弱，不能承受公众生活的风暴。不过，还有一些人，他们的欲望会在私下里愈演愈烈；他们无法保持一贯的作风，除非将仪态举止暴露于众目睽睽之下，带着对羞耻的惧怕辅佐良知发挥训诫作用——对这些人而言，在美德的秉性成形之前，在压制欲望的战斗尚未取得连续胜利之前，攘除他们行为的所有见证人，这是危险的行为。然而，还有一些人属于更高的层次，他们有满腔的热情、坚定的决心，世界从他们身前走过，却不能留下任何影响，不能引起他们丝毫关注；这些人应该把自己视为人类的守护者——他们身处邪恶的世界之中，以楷模的力量行为示范；当他们在孤独中退隐，就抛弃了上天给他们安排的名位。

独行遐想录

节选

让－雅克·卢梭

1712—1778

卢梭一生中大部分时间都能感觉受到他人的迫害，他讨厌社会生活，更喜欢自然世界和相对的独处，从不向往城市腐朽的乐趣。他也是一位坚持不懈的创新者和真正独创的思想家。他以开创性的政治和社会理论开始了自己的职业生涯，他的理论影响广泛，尤其对法国大革命影响深远。后来，他写了小说《新爱洛伊斯》（1761），这部小说关注个人情感和主体性，是浪漫主义的重要先驱。最后，他以《忏悔录》（1782）开创了现代自传体裁。在他未完成的《独行遐想录》（1776—1778）中，卢梭继续思考一直困扰他整个职业生涯的许多问题，着重陈述了他对社会腐朽现象的观点，表达了独处的喜悦和对自然世界的无限好奇。

在我居住过的所有地方中（有几个令人惬意的去处），没有一处像比尔湖中的圣彼得岛那样，让我如此真切地感到幸福，在我的记忆中留下如此美好的印象。这个小岛在纳沙泰尔被称为土块岛，即便在瑞士本国也不怎么知名。在我的记忆中，还没有哪位旅行家提到过它。这里风景迷人，对那些喜欢僻静而不喜远足的人来说，甚为适宜，会使之备感幸福。我可能是这个世上命运裁定唯一要如此生活的人；不过，我无法相信，我是世上唯一拥有这种天然品味的人，尽管到此刻为止，我还没有遇到任何和我具有相同性情的人。

比尔湖比起日内瓦湖，因为岩石和树木离水涯更近，这里的湖畔更具有野性，充满浪漫气息。在其他方面，比尔湖的魅力也毫不逊色。虽说这里没有那么齐整的草坪和葡萄园，也少了点城镇和房屋，但是，这里却有着更多自然的苍翠，拥有更多田野，更多林木掩映的幽僻之处。用一句话来说，这里的景致各不相同，错落有致，处处宜人。迷人的湖畔上并没有宽阔的马路可以行车，因此，这片乡间极少有人光顾，但对那些喜欢沉思的哲人来说，却极富魅力。闲暇时刻，他们可以沉浸在这里迷人的自然中，浮想联翩，退隐到这片静谧之地，除了鹰啼隼啸、百鸟啁啾，或从群山间淌泻而下的湍流声，再无其他纷扰。这个形如仰盆的所在，景色优美，几近圆形，在接近圆心的地方有两座小岛，其中一座住有人家，岛上农田环绕，方圆约半里；另一座岛面积稍小，荒无人烟。由于海浪和风暴侵蚀，大岛不断地遭到破坏，人们就从小岛上运土到大岛进行修补，因此小岛也最终难免被毁。因此，无论从哪个视角看，都有点劫弱济强的味道。岛上只有一座大房子，舒适宽敞，和小岛一样同属伯尔尼医院产业。一位财务管家连同他的家眷住在这里，在这里养了许多家禽，还有一个鸽屋、一片鱼塘。岛虽小，却物产丰富，风景变幻多姿，适于种植各种庄稼。你可以看到交错的农田、葡萄园、果园、丰腴的草地，树木丛生，绿荫遍地，各种灌木点缀其间，再加上这里就在水边，因而总是葱葱郁郁。一片高地从小岛一头蜿蜒到另一头，上面植着两排树，高地中心矗立着一间漂亮的大厅。到了收获葡萄的季节，湖滨附近的居民每逢星期天都会在此欢聚，一起歌舞。我就这样寄身于这个小岛，陶醉在迷人的风景之中。岛上的景色令人心旷神怡，与我的性情十分相契，因此，我决定在此度过余生。

……

我被准许只能在此小岛暂居两个月，不过，即便在此度过两年，一生一世，我也不会有片刻的厌倦。除了泰蕾兹，岛上只有财产管家和他的家眷（他们都是好人）陪伴，再无他人——可这正是我所想要的。我把这两个月看作一生中最愉快的时光。我感到如此幸福，仿佛让我获得终生的满足，我心中的唯一愿望就是用这种幸福来换取另一种享受。

这份幸福来自何方？我所享受的又是什么？这个问题，就让世人根据我的描述来猜测吧。这份宝贵的闲逸是一切享受之最，一切享乐之首，我要尽情、充分地沉浸其中，在岛上居住的这段时间，我所做的只不过是一个醉心于闲适的人所乐意而又必须从事的事业。

那些想迫害我的人，除了把我丢弃在这孤独的小岛上，却也不能再有其他什么算计，而我则心甘情愿地将自己囚禁起来。在这里，仅靠个体的力量而不依赖外力无法逃脱；在这里，我失去外界的联系和通信，一切只能借助周围的人。这对我来说是一种希望，它激发了我继续留在这里终结余生的愿望，我愿在这份从未有过的平静中度过余生，一想到我即将拥有闲暇，在此了结一切，我便能释怀一切。我匆匆来到这座小岛，孤身一人，身无长物，先后派人送来妻子、运来书卷和其他简单的必需品。这些物事我倒乐得不去动它们，就随送来的箱柜原封未动放在那里，也不去在意，只是待在这打算度过余生的方寸之地，我就像在一家旅店暂住而翌日将去的旅客。我发现，一切随我所欲，一切那么完美，任何变动都会弄巧成拙。

我最大的乐趣就是让书箱原封不动，也不取出墨台，每每收到让人心烦的来信而不得不回时，就嘟囔着去向房产管家借笔墨，而后又匆匆还给他，希望下次不会再借。我不再去鼓弄那沉重的手稿和发霉的书籍，而是在房间里摆满花草，因为我那时刚刚迷恋上植物学。这个兴趣因狄夫努瓦医生而起，并很快成为我的挚爱。我不再从事繁重的研究，只喜欢钻研适合闲散生活、让人轻松消遣的事。我开始着手编纂《圣彼得岛植物志》，准备记载岛上所有植物，一株不漏，这是一件细致的活，足以使我倾尽余生。

据说，有个德国人就一块桔皮写了整整一本书，我同样也能就田里的每株禾苗、附在树上的每片苔藓、覆盖并装点岩石的每根野草写上一本书；总之，哪怕是一片草叶、一粒植物的种子，我都要详细描写。

为了完成这个宏伟的计划，每天早饭过后，我就手拿放大镜，腋下夹着《自然系统》，到岛上的某个地点观察。为了实现这一目的，我将岛分成了四个部分，准备每个季节探索一个区域。每次观察植物的构造和组织，观察芽孢结果活动的时候，我都感到无比的快乐和兴奋，再也没有什么能与这种体验相比。

……

一般两三个小时后，我便满载而归。倘若碰上下雨天，这些东西足以让我在家消遣一下午。上午剩下的时间，我会与房产管家、他的妻子和泰蕾兹一道去看庄稼汉，看他们怎样收割，也经常动手帮帮忙。要是有伯尔尼居民造访，他们常常会发现我高踞树上，腰间围着口袋，往里面装果子，等到口袋装满之后，我就用绳子放下来。经过一个上午的劳作，我心情自然舒爽，因而午饭时的休憩便更加愉悦；但如果午饭时间很长，又有这美好天气诱惑我出来时，我便迫不及待，趁众人还未散席偷偷溜走，跃上一叶小舟，划至湖中。风平浪静时，我便横卧舟中，仰望苍穹，任小船随波逐流，有时一连漂上几个小时，沉浸在千百种令人愉悦而又困惑的遐想中。这漫无目的的遐想，在我看来，却比我从所谓人生乐趣中得到的愉悦好上百倍。有时，夕阳西斜，便知已是回家的时刻，却已经离岛很远，只得奋力划桨，好在天黑之前回来。

……

在没有不速之客打搅的时候，我在岛上居住的那段时间就是这样度过的。这里究竟有什么竟如此迷人，十五年后依然令我心潮澎湃，心中充满新鲜、温柔而又持久的怀念，使我每每想起这个可爱的地方，总不免满怀深情，心驰神往?

人生漫漫，充满坎坷，然而，我发现，最惬意的享受，最优雅的情趣，并非那些令我陶醉、令我欣喜的记忆。那些狂喜和激情的时刻尽管妩媚动人，其爆发的活力却似乎只是漫长生命历程中零落的点，这些点不能连缀，转瞬即逝，无法构成永久的幸福。我心中怀念的幸福并非由短促的时刻构成，而是一种专一、长久的状态，它不会让人神魂颠倒，却在不断延续的过程中愈发迷人，直到最终实现崇高的幸福。

世上的一切总是沉浮跌宕，没有什么可以恒久不变，而依附于身外之物的喜怒哀乐，也必然随着外物的变化而变化。我们总是前瞻后顾，追思往昔，却无法回到过去；我们总是在预测永不降临的未来。世上并不存在牢不可摧的东西让我们寄托心志，苍天之下也不存在恒久的享乐。永久的幸福恐怕无人知晓。在令人酣畅的享乐中，我们的内心没有一刻能真正地说：“愿这一时刻永驻！”这稍纵即逝的状态怎么能称之为幸福？它在我们心中留下令人焦灼不安的空虚，总是让我们因逝去的事物而悔恨，对未来的收获充满渴望。

假如存在这样一种状态，灵魂可以找到足够强大的支撑，紧紧倚靠，全身依附于它，而没有丝毫意愿去回顾过去或展望未来——在这种状态下，时间似乎是一个空洞，当下无限延伸，既无法察觉它的延绵，也无法跟随其后；在这种状态下，没有任何贫穷或享乐的概念，不觉苦，不觉乐，无所欲，无所惧，不再有感觉，而只有生存概念，这一概念只听命于情感——那么，只要这种状态延续着，能够感知它的人，就可以说自己是幸福的人。他所拥有的并非一贫如洗、仰人鼻息的不完美幸福，而是圆满的幸福，这种幸福完美无缺，在灵魂中不留下任何欲念或空虚。

在圣彼得岛上，我或是躺在小舟上随波漂流，或是坐在湖畔静观波涛翻滚，或是站在美丽的河边或小溪旁，听流水从卵石堆积的河床上潺潺流过，这就是我常常感到的那种幸福。

在这种状态下，我们所享受的是什么？它并不源自我们身外，绝非我们存在之外的东西，因为只要这种状态持续着（就像至高无上的上帝一样），我们的享受便是圆满的幸福。剥除了其他所有感觉的生存意识，是一种安详和满足的情感，这种情感本身，只要人们能够抛弃声色犬马的世俗情感，不让这世上的幸福被其频繁打扰和破坏，便是一种弥足珍贵的满足。

然而，大多数世人总是被一个接一个的欲望所骚扰，根本无法领略这种状态。他们只在某个瞬间有过不完整的享受，从而产生一种肤浅的认识，使得他们无法感受其价值所在。按照现今的秩序结构，沉浸于心醉魂迷的愉悦，会令人厌倦社会生活，因为人类膨胀的欲望已将它变成了职责，这或许未必合适。但是，一个不幸的人，与社会隔绝而不再能做出于己于他有益的事，或许能够在这一状态中找到令他愉悦的慰藉，这慰藉是命运和社会都无法从他身上剥夺的。

诚然，这种慰藉不可能被所有人体会，也不是在任何情况下都可以被体会。内心必须平静，没有欲望能够搅扰这种宁静；这不仅要求能够体验这一幸福的人拥有与之相宜的性情，而且要求周围事物的相辅相成；他的平静既不能是一种绝对的静息，也不能有频频的躁动，而是一种始终如一、温文尔雅的性情，它不会受制于激情的爆发，也不为彻底的绝望所左右。

没有运动，生命只是一场浑噩的睡梦。但如果这运动没有规则，或过于激烈，则会唤醒我们的感觉，将感觉投注到外在物体上，破坏了我们遐想的乐趣，把我们撕裂，并立即置于命运和他人的重轭之下，让我们重回对不幸的感知。绝对的静息会导致忧郁，呈现死亡的景象；因此求助于乐观想象是必要的，而对于拥有联想天赋的人来说，想象将会给予心甘情愿的帮助。因此，这种层次的情感并非来自外在事物，而是源自我们自身；诚然，它缩短了我们安歇的时间，但留给我们的那一部分则给予我们上百倍的愉悦，而那些轻浮的快感却不能触动我们内在的灵魂，那只不过是表层的触碰。能够让我们反思自我、忘却一切不幸的事物已经足够多了。任何可以寻得安静的地方都可以满足这种沉思的愿望。我时常想，在巴士底狱，甚至在暗无天日的地牢中，我都可以愉快地遐想。

但是，我必须承认，在一座硕果累累的孤岛上，自然的限制和与世隔绝使我的遐想更加惬意。在这里，到处都是悦人的景象，没有任何东西能够勾起我心酸的回忆；在这里，小岛居民屈指可数，人人和善可亲，却不需专心属意于他们。总而言之，在这里，我可以终日沉浸在最温柔的悠闲之中，无所顾虑，也不需要为我的各种口味而分心。对于一个在极度令人不快的环境中，沉浸于变幻不定的愉快遐想的沉思者来说，能够从目光所接的一切轻松地获得自我满足，对他而言，这种机会无疑是十分理想的。

当我从悠然平静的遐思中回到现实，发现自己四周有花鸟做伴，身处苍翠之中，我纵目驰骋，远眺那浪漫的湖岸，湖岸环抱中那片无垠的湖水清澈如水晶，我便将每一个可爱的景象收入我的虚构世界；而当我最终认识了自己，认识了周遭的一切，我甚至不能分清现实与虚构在哪一点分开。这一切让我心爱的居所变得如此可爱！

啊！能否让我重回这一时刻？能否在这迷人的小岛上终结我的时日，不再与它分离，不再感受任何大陆居民的存在，不再让我想起那些连年累积的灾难！我要消除掉一切记忆，然而我却不能同样被世界遗忘；不过，如果没有人能够打扰我的平静，即便遗忘于世，那又如何？我从喧嚣的社会生活造成的各种尘世情欲中解脱了出来，灵魂超然于这尘世之上，先人一步与上天的灵魂交谈，希望尽早加入他们之中。我知道，世人已经夺走我美妙的寄身之所，他们将用尽心机，绝不会归还于我；但是，他们不能阻止我每日插上想象的翅膀，尽享昔日在此地的快乐。

我应该以更大快乐而做的唯一的事，就是去安逸地遐思。想象中我正身处小岛之上，难道不也一样吗？我以迷人的画面使小岛增辉，让抽象而单调的想象魅力四射，这不更加美好吗？在我心醉神迷的时刻，我的感官已经无法察觉具体的对象，而此刻，当我的沉思变得更加深邃，它们的形象却能够愈发清晰地显现出来。与现实相比，我与这一切的相融更加亲密，更加惬意。不幸的是，随着想象力衰退，这些画面不再那么频繁地进入我的想象，只是在我的脑海中短暂停留。呜呼哀哉！在我们开始离开这个躯壳的时候，被它伤害最深的却是思想。

我四处游荡，孤独若白云一片

威廉·华兹华斯

1770—1850

华兹华斯出生在英格兰的湖区，这是一个美丽的地方，他把一生都奉献给了这里。从剑桥大学圣约翰学院毕业后，他去欧洲徒步旅行，在那里，他被阿尔卑斯山的风景深深打动。华兹华斯还对法国大革命后兴起的共和运动着迷。1795 年，他遇到了诗人塞缪尔·泰勒·柯勒律治，二人一起推动了英国诗歌的革新——他们摒弃了 18 世纪诗歌的虚假措辞，转而关注华兹华斯所说的“人类真正使用的”语言；他们关注情感和个人自由，开创了英国文学的浪漫主义。对华兹华斯来说，诗歌本身就是“强烈情感的自发流露：它起源于平静中回忆的情感”。

我四处游荡，孤独若白云一片，
我高高地飘过山冈与河涧，
蓦然间，看到一丛丛
一簇簇金色的水仙，
它们或藏树下，或立湖边，
在微风中摇曳，起舞翩翩。

它们如繁星满天，金光灿烂，
它们在银河中隐隐闪现，
它们连成一条不尽的长龙，
沿着湖湾的岸边向前蜿蜒：
一眼望去，花儿千朵万朵
在欢舞中频频点颔。

有粼粼的浪花在一旁歌舞，
哪比这水仙花如此欢愉？
有如此快活的花儿做伴，
诗人怎能不为之绽放欢颜？

我久久凝视，却不曾想过
这美景曾给我多少无价的灵感——

因为当我于榻上斜卧，
无论心中空虚，还是忧思恍惚，
金色的花常常闪耀在心中之眼，
那便是我一个人的幸福。
于是，我心中洋溢着快乐，
与水仙花一起随风起舞。

哦，孤独！如果一定要与你同住！

约翰·济慈

1795—1821

济慈小时候就想当诗人，然而，父亲的去世使他的家庭陷入了巨大的经济困难，并影响了济慈的未来。1810 年，年仅 15 岁的济慈从学校退学，到伦敦盖伊医院学习医学，他成为一名执业药剂师，能够配药和进行基本手术，这使得年轻的济慈有了谋生的手段。即便如此，诗歌仍然是他的激情所在。然而，当他的第一卷诗集出版后，他在主流媒体上却遭到了嘲弄，他花了几个月的时间才从震荡中恢复过来。尽管如此，济慈仍继续诗歌创作。他于 1819 年感染肺结核，不久后去世，享年25岁。但是，济慈善于运用刺激感官的乐感和引人入胜的意象创作诗歌，并以惊人的速度成长为英国文学伟大的抒情诗人之一。

哦，孤独！如果一定要与你同住！
可不要挤在层叠晦暗的庭院深屋。
同我一道爬上陡峭的自然观景处，
在这里，看鲜花满坡，遍布山谷，
河浪翻卷着水晶，仿佛一拃之距。
就让我闲卧枝桠帐下，为你守护，
看迅捷的小鹿，在林间雀跃四处，
惊动指头花盅，看野蜂从中起舞。
我乐意和你一起追寻迷人的芳馥，
可我更愿与纯洁的心灵推心置腹，
那清澈的词语是纯洁思想的画幅，
这才是我灵魂的享受；莫要犹豫，
当两心相印的人奔向共同的去处，
那一定就是人世间最崇高的幸福。

人群中的人

埃德加 · 爱伦 · 坡

1809—1849

虽然爱伦 · 坡生前被认为是一位有鉴别力的文学评论家，但他富有想象力的作品在很大程度上却被认为是失败的。他 40 岁时在绝望与误解中死去。然而，他在去世后得到了认可，被誉为一位有远见的文学天才。他的作品对世界文学产生了巨大的影响；他的诗《乌鸦》（1845）是公认的经典之作，他也通常被奉为侦探小说的鼻祖。他还对科幻小说的兴起做出了重要贡献。爱伦 · 坡对现代性的概念以及当下与过去的区别深感兴趣。他的《人群中的人》（1840）描绘了现代城市创造的特有的孤独，是表现这一主题最早、最成功的文学作品之一。

据说，有一本德文书不允许人阅读。书中藏有些秘密，不能说与人听。每天夜里，都有人躺在病榻上，心情绝望地死去，临终前，他们紧紧地攥着那像幽灵一样的告解牧师的双手，可怜兮兮地望着他的眼睛，喉咙痉挛着，心中藏着可怕的秘密却不能告与人知。唉，时常有人惶恐不安，其良心承受着如此巨大的重担，只有到坟墓中才能把它放下。只有此时，罪恶的本质才得以大白天下。

不久前的一个秋日傍晚，我来到伦敦D咖啡馆，在凸肚窗边坐下。我病了几个月，正在痊愈。随着体力恢复，我的心情也爽朗起来，这是一种与倦怠恰恰相反的心境，是遮蔽理智视野的迷雾散去后露出的最强烈的欲望——心智仿佛受到电击，远远超越了平日的状态，就如同莱布尼茨生动而真切的推理，如同高尔吉亚狂妄而浅薄的说辞。呼吸便是享受。许多事情往往会给人带来痛苦，即便如此，我也可以从中获取真正的快乐。我心情平静，对一切充满好奇。我口叼雪茄烟，膝上摊着报纸，自得其乐，在那里一坐就是大半个下午。我一会儿读读广告，一会儿观察一下屋里的各色人等，一会儿又透过朦胧的玻璃窗凝视大街。

外面的大街是伦敦城的一条主道，白天里总是熙熙攘攘，而随着暮色降临，人群又有所增加，等到街灯亮起的时分，两股人潮密密麻麻不断地从门前经过。我从未在黄昏的这个时刻在这样的环境中待过。街上万头攒动，人流如海，熙熙攘攘，让我心中充满一种新奇、惬意的感觉。最终，我不再关注酒店里的任何事，而是面对外面的场景陷入了沉思。

一开始，我还只是以一种抽象的视角这里看看，那里看看。我看着摩肩接踵的行人，想象这群人的总体关系。不过很快，我就注意起细节来，开始饶有兴致地观察那些形形色色的身材、服饰、神态、步伐、面容和表情。

街上的行人大都志得意满，带着一副若有所事的神采，似乎一心只想着挤过稠密的人群。他们紧锁眉头，眼珠飞快地滚动着，碰到同是行路之人的推搡，也没有表现出任何不耐烦的样子，而只是整整衣冠，继续匆匆前行。还有不少行人，无所事事，脸色通红，一边自言自语，一边比手划脚地走着，仿佛正是这稠密的人群令他们感到孤独。当有人挡住他们前行的道路时，他们会突然停止嘟囔，手脚比画的幅度更大，嘴角露出心不在焉的夸张的微笑，等着挡路的人过去。如果被人碰撞到，他们就频频向对方鞠躬，似乎完全不知所措。除了我刚才注意到的，这两类人没有多少与众不同之处。他们的衣着属于那种可以直接称之为体面的一类，这些人显然都是贵族、商贩、律师、零售业主、股票经纪人——世袭贵族和社会上的普通人——有闲阶级和为自己的生意奔忙、自负自责的人士，他们没有引起我太多的注意。

文职人群非常显眼，一眼便能看出。我可以分辨出两类不同的职员。一类是在时髦办公楼里上班的初级职员——就是那些身穿紧身服，足蹬锃亮皮靴，头发油光闪闪，嘴角挂着傲慢微笑的年轻男士。这些人的举止中有一种潇洒，因为缺乏词汇，姑且称之为“办公室风采”，除此之外，他们的一举一动，简直就是一年到一年半前在上流社会风靡一时的那种做派的完美翻版。他们的身上，依然披着被绅士阶层抛弃的那种仪态风采。我认为，这句话是他们这一阶层的最佳定义。

另一类是在老牌公司上班的高级职员，也就是那些“稳定的老家伙”，绝不会认错。辨认这些人的标志是，他们身穿黑色或棕色外衣与马裤——这种服饰让他们坐下来很舒贴——打着白领带，套着西服背心，脚穿宽大结实的鞋子，腿上套着长筒袜或系着绑腿。他们的脑袋都微微有点秃顶，右耳由于长期夹着钢笔而总爱支棱着。我注意到，他们总是用双手摘帽或戴帽，手腕上戴着表，短小的金链上刻着样式古老的精美图案。他们的神采看上去有一种矫揉造作的体面——如果真有如此尊贵的矫态的话。

人群中还有一些人，他们外表看上去很潇洒，但我一眼就能看出，他们属于一流的扒手，所有的大城市都免不了这类人的骚扰。我满怀好奇地打量着这些绅士，很难想象，他们怎么会被真正的绅士们错认为绅士。他们那宽大的袖口和过分坦率的神情，看一眼就让他们原形毕露。

我还发现有那么几个赌徒，这些人则更易于辨认。他们的穿着各式各样，有身穿丝绒背心、脖缠花色围巾、胸挂金表链、用金扣装饰上衣的痞子，也有衣着庄重，朴素到容不得任何人质疑的教士。但是他们一个个都脸色发黑，带着一种酒气，眼睛黯淡无光，苍白的嘴唇紧闭着。此外，他们还有两个我能辨认出的明显特点——一是说话时总是压低嗓门，似有戒心，二是拇指总是翘起，与其他手指呈直角。在这些赌棍的身边，我观察到这样一类人，尽管他们的习性稍异，但毕竟还是一丘之貉。或许可以把他们定义为靠自己才智过日子的绅士。他们常常兵分两路拿群众下手——一路是花花公子，一路是军人。第一路的主要外表特征是长长的头发和一脸微笑，第二路的主要外表特征则是佩戴饰件的军装和紧皱的眉头。

至于再往下的那一等可以称为绅士的人，我发现了一些更阴暗、更深刻的现象，是值得深思的话题。我看到一些犹太小贩，他们长着一双鹰眼，目光闪烁，而脸上其他部位则显示出一副地道的卑恭；我看到身体结实、以行乞为业的乞丐，他们怒视着那些被绝望驱赶着在夜间行讨，却比他们更名副其实的同类；我看到身体虚弱、面色煞白、已经被死亡一只手牢牢地抓住的病人，他们侧身而行，步履蹒跚地穿过人群，以哀求的神情看着每一个人，仿佛在寻找某种偶然的慰藉或失落的希望；我看到一些平凡的女孩，劳累了一天才很晚赶回那了无生趣的家，半道上含着泪花躲避流氓直视的目光，却不敢表示愤怒；我看到各种各样、不同年龄的街头妓女，她们当中有正值妙龄的绝色美女，让人想到卢西安的雕像，白洁如帕罗斯大理石，肚子里却满是污秽——有衣衫褴褛、麻风病已无可救药而令人作呕的娘儿们；有满脸皱纹、涂脂抹粉，满身挂着金银珠宝、做最后一番努力留住青春的老太婆；有体型尚未完全发育的雏妓，由于长期浸淫于这一行业，她们深谙此道，懂得如何搔首弄姿，雄心勃勃地欲与这罪恶行业的同行老大姐们一决高下，平起平坐。我还看到数不清的醉汉，他们的丑态难以形容——有的衣衫褴褛、步履歪斜，口齿不清，脸上留着伤疤，眼睛黯然无光；有的衣着虽然完整，但邋里邋遢，走起路来趾高气扬，难免有点踉跄，他们厚厚的嘴唇充满肉欲，红润的脸显得容光焕发；有的身穿一度属于上等良品、到现在还精心刷熨的衣服；还有些人脚步异常稳健轻快，却脸色惨白，眼睛充满野性，红得吓人，每当他们穿越人群时，便用颤抖的手指去抓取每一个够得到的东西。除了这些人之外，还有卖馅饼的、搬行李的、运煤炭的、扫烟囱的、摇风琴的、耍猴子的、说书的、卖唱的、各种衣着破烂的手工艺人和精疲力竭的苦力，所有这些人都吵吵闹闹，不停地东奔西跑，只让人耳朵里一片聒噪，看着眼睛刺痛。

随着夜色加深，眼前的景象也愈发使我的兴味浓厚起来。不仅因为人群的总体属性发生了变化（随着有秩序的那部分撤出，人群的温柔一面开始消失，而狂暴的一面则开始大胆显露，各色各样的丑恶趁着夜色倾巢出动），而且先前因与残喘的白日斗争而暗淡的煤气灯，现在终于显得明亮起来，给所有物体投下一片忽明忽暗的耀眼光亮。四下里一片黑暗，却璀璨夺目，就像被比喻为德尔图良风格的黑檀木那样。

刺眼的灯光效果使我开始专注于观察每一个人的面孔。虽然那光亮的世界在窗外一闪而过，使我无法仔细端详每一张脸，只能匆匆一瞥，但是，在我当时特殊的精神状态下，即便通过那短短的一瞥，我都可以从他们身上读出漫长岁月的历史。

我把额头贴在玻璃上，仔细地端详杂乱的人群。忽然间，一张面孔闯入我的视野（那是一张苍老的老人面孔，约莫在 65 到 70 岁之间），这张面孔的表情独一无二，一下子就吸引住了我。我以前从未见过这种表情，哪怕有一点点相似。至今我仍然记得，我看到这张面孔的第一个想法就是，如果雷茨也看到了它，一定会把它当作魔鬼的化身来画。正当我在这短暂的时间里，试图分析那张面孔上的表情所传达的含义时，我心中忽然百念丛生，混乱而又矛盾——包括智慧、谨慎、吝啬、贪婪、冷酷、恶毒、血腥、得意、欢乐、极度的恐惧，还有异常的、无比的绝望。我感到极度的警觉、惊惧和迷惑，不由自语道："那胸膛里书写着一段多么狂野的历史啊！"接着，我产生了一种强烈的欲望，想要继续观察他，更多地了解他。我匆匆披上大衣，抓起帽子和手杖，冲到街上，挤过人群，朝我刚才看见他消失的方向走去，此刻他已不见了踪影。费了一番力气之后，我又看见了他。我追上去，紧紧地尾随其后，并小心翼翼地以免被他发现。

现在是观察他的绝佳机会。他个子不高，身材很瘦，看上去体质羸弱。他的衣服又脏又破，但借着强烈的灯光，我看出，他穿着亚麻布料的衣服，尽管很脏，但质地很好。他裹着一件扣得严严实实的长外套，一看就知道是旧货摊上买来的。也许是我的眼睛欺骗了我，也许是真的，我透过他的衣缝看见，他竟然揣着一柄镶有钻石的短剑。这番观察更加刺激了我的好奇，我决定跟踪这个陌生人，无论他走到哪儿。

此时，天色已经完全黑下来，潮湿的浓雾笼罩着整个城市，很快就变成一场持续的大雨。这一天气变化立刻在人群中产生了一种奇怪的效果，引起新的骚动，街上变成了伞的世界。人群的晃动、拥挤和嘈杂声比刚才增加了十倍。对于我来说，我并不在乎这场雨——先前在我体内潜藏着的热病倒使这雨水给我一点惬意的感觉，尽管比较危险。我用一块手帕蒙住嘴，继续跟踪他。那个老人在大道上艰难地一直行走了半个钟头，我紧跟在他身边，生怕跟丢了他。他一次也没有回头看我，没有发现我的跟踪。最终，他走进了一条斜街，这条街虽然行人稠密，但并不像刚才走过的那条大街那么拥挤。这时，他的举止发生了明显的变化。他行走的速度更慢了，也不像原来那样有目标，显然更犹豫不决。他反复地横穿马路，没有什么目的。行人依然很拥挤，他只要有任何举动，我便立即紧跟上去。街道又窄又长，他走了近一个钟头，其间行人逐渐减少，最后达到了中午时分百老汇靠近公园那一段路的程度——伦敦民众和美国最繁华城市的民众相比，其差别是如此巨大。又拐过一个弯，我们来到一个灯火通明、热闹非凡的广场。这位陌生人又恢复了先前的神态。他把头垂在胸前，眼珠在紧皱着的眉头下快速地转动，四下张望，扫视着围在他身边的人。他坚定地前行，穿过人群。我惊讶地发现，他在广场上绕了一圈，回过头来沿着原路走。他反反复复按原路走了好几圈，这令我更加惊讶。有一回，他忽然掉转身来，差点看见我。

他就这样在广场上又消磨了一个钟头，路上挡道的行人终于比起初少了很多。雨下大了，空气变凉，人们正在纷纷地往家返。这位漫游者显得有些不耐烦，钻进一条略微偏僻的小街。他沿着小街走了大约一里地，便开始疾走起来，我做梦也不会想到，像他这样年迈的人会这么迅捷，让我好不容易才跟上他。几分钟后，我们来到一个热闹的大集市，那陌生老人似乎很熟悉这里，又恢复了原来的举止，漫无目的地在一群群的买主与卖主中间挤来挤去。

我们在这个地方转了约一个半钟头，我必须十分谨慎地与他保持距离，以免被他发现。幸亏我穿了一双橡胶套鞋，走起路没有一点声响。他根本没有发现我在盯着他。他进了一家又一家商店，既不问价，也不说话，只是用一种茫然的目光急切地扫视所有的东西。现在，我对他的举止更是大为惊异了，我决心，除非我对他的好奇心得到多少满足，否则不会离开他。

洪亮的钟声响了 11 下，人们开始快速离开集市。一个正在关百叶窗的店主碰了老人一下，我发现老人立刻浑身颤抖起来。他匆匆走到街上，焦虑地四处看了一会儿，然后以不可思议的速度奔跑起来，穿过许多弯弯曲曲的无人小巷，最后又一次来到我们一开始的那条大街上——D饭店所在的大街上。不过，现在这条街已经不再是原来的模样。大街在煤气灯的照耀下依然灯火通明，但是雨下得更猛了，街上看不到几个人。那位陌生人脸色苍白，若有所思地沿着刚才熙攘的大街上走了几步，长叹一声，调转方向朝河边走去。他一路上绕了好几个弯，最后终于来到一座大剧院跟前。剧院马上就要关门了，观众正从大门蜂拥而出。我看到那个老人深吸一口气，仿佛在寻找呼吸，然后扎进了人堆。不过，我觉得他脸上极度的痛苦已经有所减弱。他再一次把头垂在胸前，就像我第一次看到他那时的样子。我发现，他选择了散场人多的路走，不过，总体来讲，我真不明白他的行为为什么这么反复无常。

他往前走的时候，观众越来越稀少，他又恢复了原来的那种不安和犹豫。他跟在一堆由十一二个人组成的喧闹的人群后面走了一段时间；不过，这伙人一个个减少，直到只剩下两三个，走在一条偏僻黑暗的小巷中。

那老人停下来待了一会儿，似乎陷入了沉思，然后明显地变得激动不安，快步走上一条道路，一直来到城市边缘。这里与我们刚才走过的区域完全不一样，是伦敦最令人恶心的地方，这里的一切都带有赤贫的烙印，最凶险的犯罪频频发生。凭着街灯昏暗的光线，可以看到一片很高的古式木制居民房，虫蛀的房子摇摇欲坠，房子横七竖八随意倾斜着，看不出有什么路穿行于其间。铺路石乱七八糟，被猖獗的野草挤出路面。堵塞的阴沟里淤积着污秽。整个环境充满了悲凉的气息。不过，随着我们往前行走，人声渐渐多了起来，最后，一群东倒西歪，晃来晃去的人出现在我眼前，他们是伦敦最放荡的人。那老人的精神又一次振作起来，就像是一盏即将熄灭的油灯倏地燃了起来。他再一次大踏步轻快地向前走起来。忽然，他转过一个弯，一阵炫目灯光出现在眼前，我们来到了郊区一座巨大的“放纵圣地”，这里是那个名为“酒”的魔鬼的宫殿。

天快拂晓了，但是还有许多可悲的酒鬼从这富丽堂皇的大门进进出出。那老人短促地尖叫一声，挤进人群，又立刻恢复了原来的举止，漫无目的地在人群中前前后后地走动。但是没隔多一会儿，人们纷纷涌向门口，这是老板晚上打烊的象征。这时，从我锲而不舍跟踪的那位奇特的老人脸上，我看到了一种比绝望还要强烈的表情。然而，他并没有为他的追求而犹豫，而是疯了一样立刻调转回来，朝着伦敦城的中心走去。他飞速走了很久，而我则极为惊异地跟在他后面，决定绝不放弃这个已经吸引我全部兴趣的观察机会。

我们继续前进的时候，太阳已经升起来了，我们又来到最拥挤的市中心——D 饭店所在的那条大街。这里又是一派匆忙热闹的景象，不啻我前一天晚上看到的。在这里，我在越来越大的困惑中，跟随着他走了很久。但是，与之前一样，他又是东一下西一下，整整一天都没离开那喧嚣的街道。当第二个夜晚的夜幕降临时，我已经累得筋疲力尽，在这位漫游者面前停下脚步，目不转睛地直视着他的面孔。他没有注意到我，而是继续庄重地往前走，而我则不再跟踪，站在原地陷入了沉思。“那个老人，”我终于说道，“他是深层犯罪的楷模与天才。他拒绝孤独。他是人群中的人。跟踪他将一无所获，因为我将永远无法了解他，无法了解他的所作所为。这个世上最狡猾的心是一本比《幽灵花园》还要恐怖的书，或许，这部书不允许有人读它，这正是上帝的仁慈所在。”

论自立

拉尔夫·沃尔多·爱默生

1803—1882

爱默生是一位无可挑剔的文体大师和修辞天才，他凭借精湛的散文和振奋人心的演讲，成为美国著名的知识分子和社会评论家。他的兴趣广泛，在美国的影响力巨大：他 1837 年的演讲《美国学者》倡导一种独特的美国文化，被认为是一份“知识分子独立宣言”；同时，他的文章《论自然》（1836）是美国超验主义运动的基础，该运动认为，社会可以腐蚀个人，因此提倡个人主义和自力更生。他的散文《论自立》（1841）是爱默生关于个人价值、自然力量以及隐私和自由重要性的最完整的陈述。

“不要在你的自我之外寻找自己”

“人是自我的星辰，
能造就真诚和完美之人的灵魂，
指挥一切光、一切影响、一切命运；
没有什么遭遇过早或过晚地降临于他身。
我们的行为是我们的天使，不论丑陋与美真，
从生到死，命运的影子将永远陪伴我们。”

——博蒙特和弗莱彻《诚实人的命运：尾声》

把那个小崽子扔在岩石堆上，
让母狼用乳汁将他喂养，
让猎鹰和野狐伴他度过寒冬，
让他的双手与双脚变为速度与力量。

几天前，我读了一位著名画家作的几首诗，作品新颖独特而不落俗套。这样的诗行，无论主题如何，灵魂总是可以从中听取教诲。诗行所倾注的情感要比其中蕴含的思

想更有价值。相信自己的思想，相信你心灵中真实的东西同样对所有人真实——这便是天赋。说出你心中潜藏的信念，那信念便会成为普遍的感受，因为内心最私密的终将成为最外在的东西——最终审判的号角将带我们回到最初的思想。每个人都熟悉心灵的声音，但我们认为摩西、柏拉图、弥尔顿的最大功绩，却是他们对书本和传统的蔑视。他们不是重复别人的思想，而是说出了自己的心声。人应当学会去发现，去关注自己心灵内部闪现的那一道光亮，而不是仰望诗人、圣贤天空中的夺目辉光。然而，人常常忽略自己的思想，就因为这思想只为自己所有。在每一部天才的作品中，我们总会发现被自己抛弃的思想，而这思想又带着某种异样的庄严回归我们身上。那些伟大的艺术作品对我们的感染和教诲也不过如此。这些作品教诲我们，当所有的喊声都支持另一方时，我们要以随和而坚定的决心坚持我们内心自发产生的印象。不然，明天就会有个陌生的人精妙准确地说出我们长期的所想，而我们则不得不带着羞愧从别人那里借取自己的见解。

在每个人的教育过程中，都会产生这样的信念——羡慕乃是无知，模仿即为自绝；一个人是好是坏，必须掌握自己的命运。辽阔的宇宙无限美好，但只有在自己的土地上耕耘，才能收获富含养分的玉米。他身上蕴藏的力量，在本质上是崭新的，除他之外，无人知晓他有多大能力；除非亲自尝试，他本人也不晓得自己的才能。一张脸、一个人、一件事不会无端地给他深刻印象，也不会无端地不给另一个人任何印象。雕刻在记忆里的东西总是拥有先天的和谐。目光落于光线应该落在的地方，便可证明那道光线的特殊。我们对自己思想的表达还不够充分，并常常因自己的神圣思想羞于开口。然而，我们应当完全相信，我们的思想公允合理，成效良益，理应忠实地传授于他人，不过，上帝不会让懦夫来彰显他的功绩。一个人若能全心投入工作，竭尽所能，便能获得宽慰和快乐，如果他没有这样说或这样做，他不会得到安宁。这是一种无法解脱的解脱。在他尝试解脱自己时，天赋弃他而去，灵感不再以他为友。他不再有创造，不再有希望。

相信你自己吧：每一颗心灵都能与那铁弦共振。接受上天为你安排的位置吧，接受和你同时代的人构成的这个社会，接受各种事件的联系。伟人们一直就是这样的，他们像孩子一样向同时代的天才吐露心迹，反对植根于心底的盲从。他们一切亲手为之，主导他们的全部存在。我们都是大丈夫，应当以崇高的思想境界来接受相同的超验命运；我们不是躲在安全角落里的孩童或病夫，也不是革命来临之前临阵脱逃的懦夫。我们是领袖，是救世主，是仁爱之士，我们遵从上帝的意旨，踏上讨伐混沌与黑暗的征途。

大自然给我们的神奇预言就体现在孩童、幼婴甚至野兽的面孔和行为上，那便是神圣的谕文。我们通过数字清点有多少对抗自己意图的力量和手段，然而这种分裂、叛逆的心灵，这种对情感的猜忌，在他们身上却没有丝毫痕迹。他们的心灵是完整的，他们的目光尚未被征服，当我们直视他们的脸，却不免心中惶惶。婴童不会屈从于任何人，所有人都必须屈从于婴童，所以一个婴儿常能把四五个成人变成婴儿，让他们咿呀作语，百般顺从。上帝让婴幼、青少和成年老熟的人都具有同样的磁性和魅力，同样优雅，令人羡慕，使他们的要求不会被搁置一旁——只要他自己决意自立。不要因为年轻人不会跟你我交谈就以为他们柔弱无力。听！隔壁房间里的他，声音是那么清晰果断。看来他懂得如何去与同龄人交流。羞怯也好，冒失也好，他总归懂得怎样让我们这些长者变得无足轻重。

小孩子从不烦恼吃饭的事，像贵族大公一样不屑以任何言语行动去劝慰别人，这种自若才是人性中的健康心态。客厅里的孩子就像坐在剧院楼下正厅后排无拘无束的观众，他孑然自立，不负责任，从自己的角落观看经过的人和发生的事，以孩子特有的迅捷和草率，对他们的优劣做出评定和审判：好的、坏的、有趣的、无聊的、能言善辩的以及惹是生非的。他从不计后果，也不计得失，总是给出独立、真实的裁定。你必须去讨好他，因为他不会来讨好你。但是成年的人早已被自己的意识关进了监牢。一旦有什么令人瞩目的言行，就感到身负重担，就有千万人投之以同情或憎恶的目光，而他不得不考虑这些人的感情。哪有什么忘川之水？啊，但愿他能重返中正自立！若能摆脱一切承诺，或虽已经履行这些承诺，还能再次回归，以同样不做作、不偏袒、不为利诱、不惧强权的单纯态度来履行，一定会得到别人的敬畏。他会对所有时事发表看法，这些看法绝非私见，而是要言，就像箭头一样刺进人们的耳中，令人们心中畏惧。

这就是我们独处时听到的声音，可是一旦我们回归尘世，这声音便日渐微弱、销声匿迹了。社会中到处充满阴谋，意欲破坏每一个成员的独立。社会是一家联合股份公司，为了确保每个股东都能分得红利，有面包可吃，所有成员都同意让出吃饭人的自由和教化。这其中，对美德的最大要求就是顺从，而自立却是顺从所深恶痛绝的东西。顺从不喜欢现实和创造者，而喜欢声名和传统。

无论是谁，做人决不能做循规蹈矩的顺从者。要想获得不朽的荣誉，就不能被善的名声阻拦，而一定要去探索，看这善的名声是否属实。归根结底，没有什么能比你正直的心灵更神圣。解放自己吧，让你拥有自己，这样你便能赢得世人的推举。我记得很小的时候，有一位重要的诤友总是用那套陈旧而熟悉的教条反复劝我，我不得不这样回答："要是我能完全靠内心的力量生存，那些神圣的传统又与我何干？"我的朋友说——"然而这些冲动的力量源于魔鬼，而非上帝。”我回答道：“我看并非如此；不过，倘若我是魔鬼之子，那么我就要从魔鬼开始做起。”除了我的本性，再无其他神圣的法则。好与坏只不过是随时转化的虚名；只有符合我本性的，才是唯一正确的；只有违背我本性的，才是唯一错误的。一个人要敢于冒天下之大不韪，仿佛除了自己，一切只不过是徒有其表、转瞬即逝。一想到我们轻易就臣服于勋章、名声，臣服于社会大众和僵硬的机制，我就羞愧难当。每一个体面、善言的人都比真理更能轻易地影响和改变我。我应当昂首前行，抖擞精神，想尽一切办法说出那刺耳的真理。假使恶毒和虚荣披上慈善的外衣，这样还说得通吗？假如一个气势汹汹、顽固不化的人挑起废奴的大业，并且带着来自巴巴多斯的最新消息来到我身边，我为什么不对他说：“去关爱你的孩子，关爱你的伐木工人吧；要和善谦恭，要宽宏大度；决不要用你对千里之外的黑人那种不可思议的温柔，来掩饰你冷酷无情的野心。对远方的爱就是对家中的恶。”这样向来人致敬虽然粗野鄙薄，然而真理要比伪装的爱更美丽。你的善须有棱角——不然就什么都算不上。当爱的教条开始不断呻吟，就必须宣讲恨的教条加以制衡。当天才的灵感向我召唤，我便会避开父母、妻子、兄弟，在门楣上写上“心血来潮”。我们不能把整天的时间浪费在解释上，我只希望最终的一切比心血来潮略好即可。不要期待我解释为什么会寻求或排斥伴侣。同样，也不要像今天的一位善人那样，告诫我接济天下穷人的责任。难道那些穷人都是我的穷人？让我告诉你，你们这些愚蠢的慈善家，这些人不属于我，我也不属于他们，我吝惜给他们的每一元、一毛、一分钱。可是有一类人，由于精神的投契，我愿为被他们买进卖出，如若必要，我愿意为他们受囹圄之灾，却不会理会你们眼花缭乱的大众慈善项目，不会理会愚人学校的教育事业，不会去建造你们今天置身其中的那些徒劳无益的礼拜堂，我不会去施舍那些酒鬼，也不会加入那些成千上万的救济会——当然，我很愧疚地承认，有的时候我也会不得已或主动地拿出钱来，但那是毫无善意的一块钱，而今后，我将以大丈夫的气概，理直气壮地拒绝给予。

在大众看来，美德是例外，而不是常规。人与他的种种品德是两码事。人们的所谓善行，譬如勇敢和慈善，跟不能每日在游行中露面而缴纳罚金作为抵偿没什么两样。他们的所作所为，只是为生存在这个世界上寻找借口或开脱——正如病人和精神病患者需要支付高昂的食宿费一样。他们的美德就是赎罪。我不希望赎罪，我只希望生存。我的生命只是为了生命本身，不是为了制造华丽的表象。我更愿意我的生命没有那么高贵，但要真实而平等，我不要让它灿烂夺目、摇摆不定。我希望生命健全而甘美，而不需要节食、放血治疗。我要求一个人要有作为人的第一表现，而不是诉诸其行为对他进行考察。我自己懂得，那些所谓的美德，无论付诸实践，还是避而远之，都没有什么差别。对于我固有的权利，还要作为特权为之付出代价，这我不会答应。虽然我天资浅薄，但我就是真实的我，无需任何多余的证据来向自我或朋友进行确认。

我必须做的事只与我自己有关，不需听取他人的想法。在现实和精神生活中，坚持这一原则同样艰难，却是区分伟大与渺小的全部标准。你会发现，总有一些人认为，他们比你更明白你的职责所在，正因为这个原因，执行这一原则难上加难。在这个世上，遵从世人的观点可以轻易生存；按照自己的意愿离群索居，亦非难事；而伟大的人，却是置身大众之中还能完美地保留独处时自立精神的那些人。

拒绝顺从那些已经作古的陈规陋习，是因为它们会瓦解你的力量。它们会浪费你的时间，磨蚀你鲜明的性格。倘若一个教会已然僵死，你还要去维系它；倘若一个圣经团体已经朽老，你还要为之效力；倘若你党同众人，投票支持或者反对政府，或像卑贱的管家那样摆放餐桌——那么，在所有这些行为的屏障下，我很难看清你确切的模样。当然，你的正常生活中也因此消耗了不少精力。做你要做的，我就会了解你。做你要做的，你就会让自己强大。一个人必须明白：这种顺从的游戏无异于蒙起双眼捉迷藏。倘若我知道你的派系，我就能预见你的论调。曾听一位牧师宣布，他要在布道时讲讲自己所属教会某项制度的合理性。难道我不能事先看出，他根本不可能发自肺腑地讲出什么新鲜话来吗？他虚张声势，说要反思一下制度的根基，难道我看不出，他决不会这么做吗？难道我看不出，他必定只会从一个方面——即教会允许的方面，以牧师而非个人的视角进行评论吗？他只不过是一个御用律师，法庭上的姿态不过是虚假的拿腔捏调而已。是的，大多数人都用这样那样的手帕蒙住了自己的眼睛，依附于某一个意见群体。这种顺从不只让他们在几件事上犯错，成为谎言的编造者，而且事事弄虚作假。他们的每一句真话都不怎么真实可信。在他们那里，二并非真正的二，四并非真正的四，因此他们每说一句话都让我们为之懊恼，不知道从哪里开始纠正他们的错误。同时，我们的本性也迫不及待，给我们穿上我们所追随的党派的囚服。我们最终都拥有同一副面孔，同一种身材，脸上渐渐露出那种无比温顺而又愚蠢的表情。有一种经历尤其令人羞耻，在大众的历史上，它总是为非作歹。我所说的就是那“阿谀的丑态”，就是与人相处时明明浑身别扭，却脸上堆起强笑，谈论自己毫无兴趣的话题。肌肉的动作并非出于自发，而是被某种卑鄙的篡位的野心所驱使，让脸部四周绷得僵直，让人极度不适。

因为你放任不羁，世人便心存不快，对你横加鞭笞。

因此，人必须要学会正确判断他人的脸色。无论是在大街上还是在朋友的客厅里，都会有旁观者对他侧目而视。如果这种反感像他自己所想一样，是出于蔑视和抵触，则不如带着这副愁容回家息事宁人；但是，大众的苦脸，正像他们甜蜜的笑容一样，并没有什么深刻的原因，只是随风而变，循着报纸舆论的导向而喜怒无常。然而，大众的不满要比议院和学校的不满更为可怕。一个阅历丰富、意志坚定的人，容忍有良好教育的阶层的怒气并非难事。他们发起火来总是文质彬彬、谨言慎行，这是因为他们生性腼腆，敏感脆弱。然而，如果他们阴柔的愤怒由众人的愤怒火上浇油，如果那些无知、贫穷的人也被激怒，如果那些藏身于社会底层的愚蠢、野蛮的势力也开始咆哮、吼叫，那就需要用宽宏大量的习性和宗教手段来对待，需要以神灵的仁慈泰然处之，视之为小事一桩。

另一个使我们不敢自信的原因是，我们总是害怕不能前后一致。我们尊重以往的言行，因为在他人眼中，除了我们过去的言行，并没有其他数据可以来计算我们过去的轨道，而我们却不愿意使他们失望。

可是，为什么我们的肩上要长着一颗脑袋呢？为什么要拖着这具满载记忆的髑髅四处走动，唯恐与你在某个公共场合发表的言论自相矛盾呢？就算自相矛盾，那又怎样？智慧的法则规定，永远不要仅仅依赖你的记忆，更不能依赖纯粹属于记忆的行为，而是要把过去带到面前，让当下的千万双眼睛做出评判，永远生活在新的一天中。在形而上学中，你拒绝赋予上帝人格：但是，当灵魂的虔诚颤动到来时，就全身心地服从于它吧，尽管它会让上帝以不同的形状和颜色显现在你面前。丢掉你的理论从这里逃离吧，就像约瑟夫将外衣丢在娼妓的手里一样。

愚蠢地追求前后一致，是受柔弱的心魔所驱使，是卑微的政客、无名的哲学家及牧师崇拜的对象。这种一致性让伟大的灵魂无所事事。这样的人还不如对着墙壁顾影自怜。今天想到什么，就用掷地有声地说出来吧，明天又想到什么，就再次掷地有声地说出你之所想，哪怕是和今天的话前后矛盾。——“啊，那你必然要被人误解。”——可是，被人误解就真有那么糟糕吗？毕达格拉斯曾被人误解，苏格拉底、耶稣、路德、哥白尼、伽利略、牛顿，每一个拥有肉身的纯洁的智慧灵魂都曾被人误解过。伟大就是被人误解。

我想，没有人能违背自己的本性。意气的风发总受自我存在法则的制约，犹如安第斯山与喜马拉雅山，它们的参差崎岖对地球的曲线微不足道。如何去衡量、考验一个人，也同样都无关紧要。个性鲜明的人就像一首藏头诗，或像一首亚历山大体诗——无论是正读，倒读，还是斜读，总能拼出同一个词来。上帝准许我惬意地在林间生活，给我以悔过自新的机会，那么，就让我把每日真实的想法记录下来吧，无需瞻前顾后。而且我毫不怀疑，这样的生活必将和谐圆满，尽管我云出无心，也无法看不出它的本质。我的书卷应该充满柏香，应该有昆虫鸣响。窗头的燕子应当将嘴里衔来的线头或稻草与我的网交织起来。我们的本质就是人们的所见。个性的施展总是超越意志。人们总以为，只有借助外在行为才能传达善恶，却看不到善恶无时无刻不在散发自己的气息。

人的行为千差万别，但总会有一种共性。因此，我们每有所为，都要真诚、自然。倘若意志统一，行为便会和谐——虽然其表象万千。多彩多姿的变化，只要稍稍远离，从一定的思想高度观察，就会从眼前消失不见。趋势相同，变化就会统一。最好的航船，其航线也总是千曲百折。站在足够远的距离看，航线总体上却直线延伸。行为真切则不辩自明，其他的真切行为自然也不辩自明。亦步亦趋不是任何辩解理由。独立行动起来吧，你自个儿完成的事将证明你当下的正确。伟大总是诉诸未来。我今天坚定不移地做正确的事，不理会旁人的目光，因为我先前的行为也必定是正确的，能为现在的我辩护。不管未来如何，当下就要做该做之事。表象永远是我们所蔑视的，你可以永远蔑视它。个性的力量积微成著。昔日的美德永葆活力，在今日依然大放异彩。是什么让议会元老和沙场英雄如此庄严伟岸，让人浮想联翩？因为他们让我们想起往昔的峥嵘岁月和辉煌战绩。这辉煌将所有光辉聚集在阔步前进的行动者身上，仿佛我们能看见有一群天使在呵护着他。正是这种品质让查塔姆伯爵声如雷鸣，让华盛顿总统举止威严，让美国进入亚当斯的视野。荣誉令我们肃然起敬，是因为它并非昙花一现。荣誉是一种古老的美德。我们今天崇拜荣誉，是因为它并不是今天的荣誉。我们热爱荣誉，向荣誉致敬，因为它不是捕捉我们热忱与敬仰的陷阱。荣誉孑然独立，来自自身，它拥有古老而无瑕的血统，即便是体现在年轻人身上，也是如此。

我希望今天是我们最后一次听到“随波逐流”和“前后一致”这样的话。让这些词见诸报端，从此接受众人的嘲笑吧。不要再听那开饭的锣声，来听一听斯巴达横笛的美妙乐音吧。不要再卑躬屈膝，赔礼道歉。某个大人物要来我家里吃饭，我无意去讨好他，倒是希望他讨好我。我在此要力挺人性——我要诚恳地发挥人性，更要真实地发挥人性。我们要谴责和鄙夷当代那种圆滑平庸与卑躬自满的风尚，把一个已经被历史证明的事实抛到俗众、商界和官场面前——凡是有人行动的地方，就有伟大而有担当的思想家和行动家在行动；一个真实的人不隶属任何时空，而是一切事物的中心。哪里有人，哪里就有本性。他是你我，是所有人，是一切事件的衡量标准。通常，社会中的每一个人都能让我们联想到某件事或某个人，然而个性和现实却不会让我们联想到任何事物，它们在这大千世界中有各自的位置。人必须顶天立地，傲视周围的一切。每一个真实的人就是一项事业、一个国家、一个时代，他需要无限的时间、空间和数量来实现宏图——而他的子嗣将会前赴后继地追随他，继承他的事业。恺撒诞生了，随后的几个世纪里，我们便有了罗马帝国。基督诞生了，千百万个灵魂便开始生长并依附于他的天才，将他视为美德和人类潜能的结合。一项制度就是一个人身后留下的长影，譬如，隐修制之于隐者安东尼、宗教改革之于路德、教友会之于福克斯、卫理公会之于卫斯理、废奴运动之于克拉克森，还有被弥尔顿誉为“罗马之巅”的西庇阿所创造的丰功伟绩。一切历史都可以轻而易举化为几个坚定而真诚的人物的传记。

因此，一个人要认清他的价值，把万物踩在脚下。在这个为他而存在的世界里，他不需要像济贫院里的孤儿，或者像私生子或好事者那样左右睥睨、东偷西摸、鬼鬼祟祟。然而，普通人却在自己身上找不到能与建造高塔、雕刻大理石神像的力量相对应的价值，一旦看到这些就让他相形见绌。在他看来，一座宫殿、一尊塑像、一本贵重的书，都显得那么异样而无法接近，就像身着盛服的车夫在说:“敢问阁下尊姓大名?”然而，其实这一切都归他所有，一切都争抢着引起他的注意，请求发挥才能。眼前的一切景象都等着我去评点，而不是向我发号施令。它们是否值得称赞，只有我说了算。有这样一则广为流传的寓言，说的是一名酒鬼，他烂醉如泥，横卧街头，后来被人抬进公爵府中，梳洗拾掇之后，被安顿在公爵榻上。酒醒之后，他发现众人对他礼遇有加，极尽逢迎之能，侍之如公爵本人，并且告知他，他曾一度疯癫。这则寓言之所以广为流传，是因为它象征人的状态——人处在这世上就像一名酒鬼，他时不时地醒过来，找回他的理智，却发现他是一个真正的君主。

我们读书就像行乞谄媚。身处历史之中，我们的想象一直在愚弄我们。王国与封爵、权力与家产，相比住在小房子里的普通人物约翰和爱德华以及他们的日常劳作，这些都是华贵的词汇；然而，与生命相关的事物却是相同的，两者的总数彼此相当。可为什么人们会对阿尔弗雷德、斯坎德贝以及古斯塔夫等尊崇备至？就算他们功德盖世，难道能够穷尽天下的美德？一个人的得失取决于今日所为，正如从前追随功名显赫的公众人物的脚步一样。当普通人带着独特的视角行动起来，耀眼的光环便会从国王转移到他们身上。

这个世界一直由王侯将相发号施令，他们一直是万众瞩目的对象。这无比高大的形象一直教导世人应当相互尊重。对于那些王公、贵族和巨绅，人们曾经快乐地效忠于他们，默默地容许他们按照自己的意志在人民当中活动，容许他们推翻世人的标准，制定自己权衡人、物的标准，容许他们用荣誉而非金钱来作为他们获益的报偿，以个人身份代表法律。这份忠诚就是他们晦涩的符号，人们借助它表达对权力与顺从的意识，那是普通人的权利。

探索一下自信的原因，就懂得为什么一切有独创性的行为能产生巨大魅力。谁是值得信赖的人？那个受到普遍信赖的原初自我是什么模样？那颗普通到没有视差、没有可测元素、让科学无能为力的恒星，具有怎样的本质和力量？对这颗恒星而言，只要有一丝独立的迹象出现，它便发美丽的光芒，穿透渺小而粗率的行为，使之熠熠生辉。

这种探索让我们发现，那本源原来就是天才的本质，是美德的本质和生命的本质，我们称之为“率性”或“本能”。我们把这根本智慧定义为“直觉”，而其后的一切教导则定义为“教诲”。在那深邃的力量之中，终极的成分无法分析，在这里，一切事物都有共同的源头。这是因为，存在的意识在静谧的时刻从灵魂中诞生，我们却浑然不知，它与万物、宇宙、光、时间，以及人，没有差别，而是与一切合为一体，显然是与生命、存在同源而生。我们起初与万物共同生存，而后则把万物视为自然中的表象，忘却了我们拥有共同起源的事实。这里就是思想和行动的源泉。这里就是给予人们智慧的那吐故纳新的肺。否认它的存在，就是信仰的不诚，就是对神灵的怀疑。我们躺在无边智慧的怀中，接受它的真理，成为它行为的脏器。在我们发现正义，洞察真理时，无需有意而为之，而只要打开一条通道，让缕缕光线照射进来。当我们询问这光线源自何方，当我们深入灵魂探究其根源之时，一切的哲学都将无能为力。我们唯一能确定的，只有灵魂的存在与否。每一个人都能区分思想决定的意向行为和直觉下的自发活动，我们都应当对这种自发的直觉表达绝对的信仰。他在表达这些自发的直觉时或许难免存在差错，但是，这便是直觉，就像昼夜一样鲜明，无可争议。我恣意的行为和认知总是漂泊不定——即便最漫无边际的幻想，最微弱的自然情感，都要求我表示关注和敬意。没有思想的人动辄（或更有甚于此）反驳感知的陈述，视之为意见的表达，这是因为他们无法区分感知与观念。根据他们的幻想，我选择看到这个或者那个，然而感知并不是任性妄为，而是直击要害。倘若我看到某种特性，我的孩子也会跟着我看见，最终所有人类都会看到——尽管在我之前有可能并没有人看到它。对我的感知而言，它的发现就像太阳的存在一样不可质疑。

灵魂与神灵的联系非常纯洁，试图介入二者之间，予以帮助，那将是一种亵渎。当上帝开口时，他必要传达神旨，不单是一件事，而是一切。他要让这个世界充满自己的声音，他要让当前的思想光芒四射，让人间遍布本性、时间和灵魂，他要创造新的一天、新的一切。只要心灵保持单纯，接受神圣的智慧，旧事物就会烟消云散——

钱财、教士、经文和庙宇将分崩离析；心灵生活在现在，并将过去与未来吸纳到当下这一刻。一切事物，借助与心灵的联系，都变得神圣——彼此之间没有差异。一切事物都朝着中心自动消解，化作普遍的奇迹，而一切微小、个别的奇迹都会消逝。因此，如果有人声称他了解上帝，向你陈述上帝的神旨，企图把你带回到另一个世界，带回到另一个余烬未灭的民族，让你倾听那一套陈词滥调，千万别相信他。橡树是橡籽的圆满与完善，难道橡籽会胜过橡树吗？父母将自己成熟的生命铸成子女，难道父母就胜过子女吗？既然如此，为什么要对过去如此虔诚地崇拜？过去的几个世纪是阴谋的时代，企图破坏心灵的健全，瓦解心灵的权威。时间和空间不过是眼睛制造的影响生理的色彩，然而心灵却是光芒；心灵存在的地方便是白日；心灵消逝的地方便是黑夜；历史只不过是无关紧要的小小伤口，它除了为我的存在和成长提供的寓言故事，便什么都不是。

人们畏首畏尾，诚惶诚恐。他们不再正直耿介，不再敢于说出“我认为”“我就是”这样的话，而只会一味引述某位圣贤。在一片草叶和一朵绽放的玫瑰面前，他们自惭形秽。然而，我窗下的玫瑰不会去仰慕昔日的玫瑰或比它们更艳丽的花朵，它们就是自己，此刻与上帝同在。时间对它们并不存在。玫瑰就这样单纯地存在着，它们存在的每时每刻都完美无瑕。叶蕾绽放之前，全部生命已经活跃起来；那怒放的花朵不会多一分什么，无叶的根茎也不会少一丝什么。花的本性获得满足，也会让自然获得满足，每时每刻无不如此。然而，人却总在拖延，总在回忆；他并不生活在现在，而总是回眸往昔，慨叹过去，或者，他不曾留意身周的财富，而是踮着脚尖瞭望未来。他只有超越时间，与当下共存，与本性同在，才可以幸福强壮。

这个道理应该是显而易见的。可是，看那些强大的智者，他们不敢直接聆听上帝的教诲，而只能以什么大卫、耶利米或是保罗的话语表达思想。我们不应当对几篇经文、几个人物视若家珍。我们就像孩子一样，将祖母和教师的训诫牢牢背下，随着年龄增长，又碰到一些才华卓越、个性鲜明的人，便又开始死记硬背他们的箴言，痛苦地回忆他们的一字一句；而后，当他们能够领略那些话语中的观点，他们觉得已经完全理解，才愿意撇开那些原话；这是因为，此时只要有恰当的机会，他们同样能说出这么精辟的话语。只要我们真实地生活，就可以真切地观察。强者易强，弱者也易弱。一旦拥有新的观察，我们就应欣然卸掉记忆的重担，丢弃记忆封存的金银财宝，视之为粪土。一个人若与上帝同在，他的声音将会像潺潺溪水和婆娑的玉米那样甜蜜。

直到此刻，我们还没有谈及这一话题的终极真理，或许也永远无法谈论，因为我们要说的，只不过是直觉的遥远记忆。现在，我想尽己所能来表达我的思想：当美好就在你的身旁，当你拥有自己的生命，这一切并非通过人们已知的、习以为常的途径获得；不要去辨认任何人的脚步，不要去瞻仰他人的脸庞，不要去聆听伟大的姓名，道路、思想和美，将是全新的，从未谋面的。它们拒绝先例和经验。你的道路从他人开始，但并不走向他人的终点。一切曾经存在过的个人将是被遗忘的布道师。恐惧和希望共存于美之中。即便在希望之中，也有某种卑微的成分。

洞见来临之时，没有什么感激不尽，也不存在适度的快乐。高于激情的灵魂可以观察到万物的一致及其永恒的起因，能够察觉到真理和正义的独立存在，便是因为懂得了一切皆自然这个道理，进而安然不惊。自然的广阔空间，大西洋，南太平洋，光阴荏苒，年年岁岁，世纪更迭——一切都无足轻重。我此刻的思想和感受贯穿先前一切生命状态和处境，也是我当下存在的根基，决定了所谓的生和所谓的死。

可贵的只有生命，而不是曾经拥有的生命。生命安歇的那一时刻，力量就会停止涌动。力量存在于从旧到新的过渡时刻，存在于海湾汹涌的浪涛之中，存在于掷向靶心的飞镖中。灵魂不断地变化，这是个世人憎恶的事实，因为它永远贬低过去，把一切财富变成贫穷，令一切美誉降作羞耻，它将圣贤与恶棍相提并论，把耶稣与犹大推在一旁。那么，我们为什么还要不厌其烦地谈论自立呢？因为只要灵魂存在，便有动力，这动力虽缺乏信心，却处于行动之中。若论依赖，那只是一种笨拙的外在视角的表达；但还是说说那些需要依赖的事物吧，因为这种依赖处于活动中，它存在着。比我更顺从的人能够掌控我，不需费举手之劳。在灵魂的引力下，我必须围绕他旋转。当我们谈论杰出的美德时，我们总以为这只是一种说辞。我们没有看到，美德就是高度；一个人或者一群人，他们灵活可塑，自由伸展地去适应原则，便一定能借助本性的法则，去征服和驾驭所有的城市、民族、君主、富人和诗人，因为这些都不具备这种美德。

在这一个话题上，就像在以前的每个话题上，我们很快即将得出终极的真理——一切问题的解决，都可以归于得到上天永远赐福的终极个体。世界的终极起源，其属性乃是自我的存在，它构成评判美好的标准，以不同层次进入一切低级形式的存在之中。一切真实的万物都具有美德，它们的美德与它们的存在一样真实。商务、农耕、狩猎、捕鲸、战争、雄辩以及个人影响，多多少少都是真实的美德，都值得我致以敬意，它们都存在于当下，虽不甚完美，却是行为的范例。我看到，在自然中，守恒与生长的法则同样适用。自然中的力量是衡量正义的实质标准。自然不允许在它的王国中存在任何无法自助的力量。一个星球的诞生与成熟、它运行的姿态与轨道、狂风过后又重新挺立的树木、每一种动物和植物的生命力，这一切无不在展示出自给自足、自力更生的灵魂。

就这样，一切力量集中起来了。不要再四处游荡，让我们坐在家中继续完成这一伟业吧！我们要让那些侵扰我们的喧闹的人群、书籍、制度目瞪口呆，向它们宣布以上这条神圣的真理。嘱咐那些入侵者脱去鞋子，因为上帝就在这里；以我们的单纯来评判他们，以对自我法则的顺从展示大自然的贫穷和我们原有财富之外的财富。

然而我们是一群盲众，人与人之间没有敬畏，他们的天才没有接受规劝，留在家中与内心的海洋沟通，而是走出家门，从别人的钵盆中乞得一杯水。我们必须独立。我喜欢礼拜开始前那寂静的教堂，而不是任何形式的布道。当一个个人处于教区或圣堂之中，他们看上去是多么疏远、冷淡、贞洁！因此，就让我们这样一直坐着吧。我们为什么要为朋友、妻子、父亲、儿子的过错而负责呢？难道是因为他们围坐在我们的壁炉旁，是因为他们拥有据说和我们相同的血统吗？所有人都拥有我的血脉，我也拥有所有人的血脉。但我不会为此而继承他们的暴躁或愚蠢，甚至不会因此而感到羞愧。然而你的独立绝不能是一种机械呆板的独立，而必须是精神上的独立，也就是一种升华。有的时候，整个世界都似乎在谋划着纠缠你，向你强调琐事的重要。朋友、客人、孩子、疾病、恐惧、贫穷、慈善一起涌来，敲响你内室的门，乞求着说："出来吧，到我们中间来吧。"但是，你要保持原本的状态，不要出来与这混乱的人群纠缠。对于那些烦扰我的人，我只给他们一丝好奇的权利。没有我的允许，任何人无法靠近我。"爱我们之所有，但欲望只能使我们丧失这爱。"

倘若我们不能即刻达到顺从和信仰的神圣高度，那至少也要抵制诱惑；让我们进入战争状态，唤醒神话中的雷神与主神，唤醒撒克逊人的勇敢和坚定意志吧！在和平的年代，我们要以讲述真理的方式实现这一目标。收起那假惺惺的好意和虚伪的情感。那些与我们交往的人，他们既被蒙蔽，又蒙蔽我们，对于这些人，不要再去满足他的期望！对他们说：噢！父亲，噢！母亲，噢！妻子，噢！兄弟，噢！朋友，迄今为止，我一直藏在表象之下与你们一起生活。从今往后，我只属于真理。我要告诉你们，从今往后，一切低于永恒法则的法则，我将不再遵守。我只要与人靠近，不要与人缔约。我会尽力赡养父母，维持家庭，做我唯一妻子的忠诚丈夫——但是这些关系我将以一种前所未有的崭新的方式去实现。我不再遵守你的习俗，我必须做我自己。我再也不能为了你们而分裂自我，你们也不能为了自己而让我分裂。如果你能够爱我之为我，我们必将更加幸福；如若做不到，我将努力做到让你能够爱我。我不会去掩饰自己的品味与好恶，我将坚信深刻即是神圣。日月可鉴，我将坚定地去做我心灵指引、让我欢欣鼓舞的事情。倘若你是个高贵的人，我将会爱你；如若不是，我也不会以伪善的关切去伤害你和我。倘若你是真诚的，却和我的真理相异，那就请紧随你自己的伙伴吧，而我也要追随我的同道。我这样做并非出于自私，而是出于谦恭和真诚。不管我们在谎言中寄居了多久，在真理中生存，符合你我的礼仪，符合所有人的利益。这个要求今天听起来很严苛吗？在你我的本性指引下，你很快就会爱上你之所爱。如果跟随着真理，我们最终必然安然无恙。不过，这样做会给这些朋友带来痛苦。是的，可是，我不能出卖自己的自由和能力来保全他们的感受。再者，当人们向外眺望绝对真理的领域，所有人都会拥有属于自己的理智时刻。那时，他们就会证明我是正确的，才会效仿我行事。

普通大众会认为，你拒绝大众的标准就是拒绝所有的标准，即属于纯粹的反律法论调；而无所顾忌的感官主义者就会利用哲学之名为自己的罪行镀金。然而，意识的法则是恒久的。有两种忏悔形式，我们必须以其中一种为自己赎罪。你可通过直接或迂回的方式来涤清罪孽，从而完成自己的职责。请想一想，你与父亲、母亲、表亲、邻居、城镇以及猫狗之间的关系，是否已经处理妥帖，他们当中的任何一个是否都可以责怪你。但是，我也可以无视这种迂回标准，赦免自我，让我拥有自己。我有自己严谨的论点和完美的迂回论证思路。对于许多人们称之为义务的职责性事务，它拒绝给予其义务的名义。但如果我能够偿欠它的债务，它就可以帮我抛弃世俗的法规。如果有人觉得此法则太过松懈，那就让他用一天来遵守它的戒律吧。

抛弃人所共有的平庸动机，敢于相信自己适合成为领袖，这的确需要一个人具有神灵一般的气质。他拥有高尚的心灵、率真的意志、明澈的眼光，因而可以真诚地为自己树立起信条、社会和法律，对他来说，一个简单的目标就会无比坚定，而对别人来说却必须以像钢铁一样的意志执行。

如果任何人能够思考一下人们明确称为“社会”的当前表象，便能看到这些伦理道德的必要性。人们似乎已经精疲力竭，变得畏首畏尾，绝望地哀鸣。我们害怕真理，害怕命运，害怕死亡，害怕彼此。我们的时代不会产生出伟大而完美的人物。我们需要能够革新生活、革新社会状况的人，可是我们却发现，大多数人都潦倒落魄，无力满足自己的需要，他们的野心超出了本分，缺乏任何实际能力，只能日夜卑躬行乞。我们持家无异于乞讨，我们的艺术，我们的事业，我们的婚姻，我们的宗教，并非自己所选，而是由社会为我们所选。我们都是客厅里的战士，我们躲避命运的苦战，然而力量恰恰就在那里诞生。

如果我们的青年人在创业中首战失利，便会彻底心灰意冷。如果年轻的商人生意失败，人们就会说他完蛋了。如果最优秀的天才在我们的一所学院就读，毕业已有一年却未能在纽约或者波士顿城郊安身立命，那在朋友及他本人看来，他灰心丧志，抱怨终生，也是理所应当。有一个小伙子身体健壮，来自新罕布什尔州或是佛蒙特州，先后尝试了各种职业，他赶过车，种过地，做过小贩，开过学校，当过牧师，办过报纸，进过议会，买过地皮，等等，总是能获得成功，年年如此。这样的人，他的价值要比那些城市玩偶的高出百倍。他与时代并肩齐行，不会因没有“术业专攻”而感到羞愧。因为他没有浪费自己的生命，而是一直真切地生活着。他拥有的不是一次机会，而是上百次机会。让一个斯多葛智者来开启人们的潜质吧，让他告诉大众，他们并非顺风而倒的垂柳，他们有能力也必须超凡脱群；只要发挥自信，新的力量就会产生；人是天造的肉身，生来即为了救治大众，他应以我们的同情为耻；一旦他以自己的意志行动起来，将法律、书本、偶像、习俗等统统扔出窗外，我们便不再对他怜悯，而是表示感激和尊敬——这位导师必将使生命重放异彩，使他的名字流芳百世。

很容易看到，在一切事务之中，在人的所有关系之中，必须以更广泛的自立，掀起一场革命，让革命发生在宗教、教育、事业、生活方式、社会交往、财产，以及思想的领域。

1. 人们究竟置身于什么样的祈祷之中啊！他们所谓的神职并没有勇敢与正直。在祈祷中，人们眼巴巴瞅着异域他乡，企图通过某种外来美德获得某种外在的成分，却在自然与超自然、介入性与神迹性信仰之间来回摇摆，将自己迷失在没有穷尽的迷宫里。在祈祷中，人们渴望得到某种具体而实在的交换品——任何不是尽善尽美的东西——都属于邪恶。祈祷乃是从最崇高的视角沉思生命的现象，它是一个静观一切的快乐灵魂的独白，是对他的伟大功业进行宣判的上帝之精神。然而，将祷告作为一种实现私密意图的手段，则是卑鄙无耻的，无异于偷窃。因为它假设的是二元论，而不是自然和意识的统一。一旦人与上帝合而为一，他就不会再去行乞，他会在一切行为中看到祈祷。农夫跪在田中祈祷除去杂草，划船的人跪在船桨旁祈祷。这些都是真正的祷告，在自然中处处可闻，尽管它们都是为了平庸的目的。在弗莱彻的剧作《邦杜卡》中，有人劝告卡拉塔奇，要求助于奥达特神的旨意，他这样回答：

> “他的言外之意就在我们的行动中；
> 我们的勇武便是我们的最崇高的神。”

另外一种虚假的祷告就是我们的懊悔。不满意就是缺乏自立，是意志柔弱的表现。如果你能救济受难者，那就去慨叹灾难吧。如果不能施以救助，那就专注于自己的工作，这样便是赈灾施救。我们的同情是同等的卑贱。我们来到那些愚蠢地哭泣的人身旁，坐下来与他们一道哭泣，而不是向他们传授真理，送去健康，让他们感受到这强烈的电击般的震惊，让他们再一次与自己的理性沟通。命运的秘诀就是我们手中的快乐。自助的人永远受到神和人的欢迎。所有的门都为他敞开，所有的人开口向他致敬，一切荣誉戴在他的头顶，所有眼睛都热切地注视着他。我们把爱倾注在他身上，并拥抱他，只因为他不需要这爱。我们满怀关切，带着歉意去抚爱他，赞颂他，是因为他我行我素，对我们的非议不屑一顾。天神们爱他，因为众人恨他。“对百折不挠的凡人来说，”琐罗亚斯德说，“上天庇佑的不朽神灵转瞬即逝。”

人的祈祷是意志的疾病，人的信条也同样是心智的疾病。他们跟那些愚蠢的以色列人一道说：“不要让上帝对我们讲话，不然我们会死。请你来说吧——任何人都可以，我们必然听从你们所言。”无论在哪里，我与兄弟心中上帝的相会总受阻碍，因为他关闭了自己庙宇的大门，只是在背诵他自己兄弟的寓言，背诵他兄弟的兄弟的上帝的寓言。每一个新的心灵都无与伦比，成为一个新的类别。如果这个心灵拥有非凡的行为和力量，是一个洛克、一个拉瓦锡、一个赫顿、一个边沁、一个傅里叶，那他就为人类增添了一个崭新的类别，看啊！又是一个崭新的系统！他获得的满足与思想的深度相当，思想越深，所触及的事物数量就越多，就有更多的学习者受到他的影响。不过，这主要体现于教会及教义的影响之中，二者同样属于某个强大心灵创造的类别，它影响到对义务的根本认知以及人与上帝的关系。加尔文主义、贵格教，以及斯韦登堡派教义皆属此类。初学者兴致盎然地将每一件事物归类，以新的术语加以表述，就像刚习得植物学的姑娘一样，眼中从此便有了崭新的泥土与季节。有的时候，初学者会发现，通过研究导师的心灵，自己的智识得以增长。在所有未得到均衡发展的心灵中，新类别成为崇拜的偶像，继而被当做追求的目标，然而这个目标并不适合那些穷尽一切手段急功近利的人。这样一来，在他们的眼中，这个体系的高墙就和遥远天际线上宇宙的高墙连为一体，而天空中闪耀的日月星辰，在他们看来，仿佛就挂在大师们筑建的穹庐之上。他们无法想象，你们这些外星人怎会有权瞻仰星空——你们怎么会懂得这些；"一定是你用什么办法偷走了我们的星光。"然而，他们并没有察觉，光明不成系统，不可征服，它会穿透任何房屋，甚至也渗入他们自己的房屋。就让他们叽叽喳喳地议论片刻吧，让他们宣称这光为他们所有，然后将其据为己有吧。如果他们品格正直，行为磊落，他们整洁崭新的蜗居很快就会变得狭窄低矮，墙壁就会裂缝倾塌，腐烂消失，而那永恒的光明则青春永葆，快乐无边，带着千万层光环，千万种颜色，如初生的早晨，光照四宇。

2. 正是由于缺乏自我涵养，所有受过教育的美国人迷信于旅游之魅力，并把意大利、英格兰、埃及树立为崇拜的偶像。而那些使英格兰、意大利或希腊在人们的想象中受到无限景仰的人，紧紧地依附于他们所在的地方，仿佛这里就是地球的轴心。在英雄的时刻，我们会感觉，职责就是我们当下之所在。灵魂可不是什么旅行者，智慧的人总是安居家中，无论何时，当不可躲避的义务和责任召唤他离开家门，或者远到异土，他都会安然自若，如坐家中，并将他要传播的智慧与美德表现于形色，启发群智，他会像君主一样巡视城市，私访民间，而不是像仆人或冒失鬼四处乱闯。

我并不是蛮横顽固地反对为艺术、为学习、为慈善而云游四海；人应当首先善于家居，而不要指望周游列国获得更深刻的知识。为娱乐和猎奇而旅游的人只会远离自我，在古老的事物的环抱中，年轻的他只会未老先衰。在底比斯，在巴尔米拉，他的意志与心灵会同那古老破败的城市一样衰败。他只是把废墟带进了废墟。

旅行是傻子的天堂。我们第一次踏上旅途，便发现那些地方冷淡无趣。在家中，我梦想陶醉在那不勒斯、罗马那美丽的景色中，忘却忧伤。于是我收拾好行李，拥别朋友，踏上海上之旅，一觉醒来，终于置身那不勒斯，却发现身旁依旧是那严峻的现实，依旧是那忧伤的自我。我无法逃脱它们，在这里，一切如故，未见起色。我追寻梵蒂冈的那些圣殿，假装陶醉于美景和遐思，但是我并没有沉醉。无论我走到哪里，我的巨人一直尾随着我。

3. 然而，旅游的狂热是一种深层疾病的表征，它影响到一切理性行为。理性思想漂泊不定，而我们的教育体系则培养了这种骚动不安。我们的身体被迫居家，心灵却四处游逛。我们模仿他人，但是除却这心灵的旅游，模仿又是什么呢？我们以异国的品味建造房屋；我们的书架因异国的饰品焕然一新；我们的见解、我们的品味、我们的官能，无不在倚靠和追寻“过去”和“遥远”。心灵绽放的地方才会创造艺术，艺术家只在自己的心灵中寻找模特。他要完成的工作，他要遵守的条件，无不是他自己思想的运用。我们为什么还需要因袭多利克柱式或哥特建筑？美妙、迅捷、壮丽的思想和奇异的表达，无不在我们的身旁，它们在所有人身旁，需要美国艺术家带着希望和爱去发现，去研究这要完成的任务，去考虑气候、土壤、白日的长短、人民的需求，政府的习惯和形式，这样才会建造出一座人人适宜的房子，才会让一切品味和情趣得到满足。

坚持做自己吧，绝不要模仿。通过一生的积累和培养，你的天赋任何时候都可以展现；但对于半途学来的才能，你对它的占有只是暂时的、部分的。每个人最擅长的技能，除了造物主，没有其他人能授予他。然而，没有人知道这技能是什么，也无法知道，除非他本人表现出这技能来。莎士比亚的导师焉在？给富兰克林、华盛顿、培根和牛顿以谆谆教导的大师焉在？每一个伟人都是独一无二的。大西庇阿的过人才能并非他从旁人那里借来。研究莎士比亚绝不可能创造出一个莎士比亚。做好自己该做的事吧，不要奢望过多，不要贪心太大。此时此刻，有一句话可以让你勇敢而气势恢宏地表达自己，那句话就像菲迪亚斯的巨锉、埃及人的泥刀、摩西或但丁的笔力，然而，与他们截然不同。满腹珠玑、才情四溢、口若悬河，怎么可能旧话连牍，辱没自己的名声？但是，假使听到这些父辈先长的妙语，你一定能以同样高亢的声音回答他们，因为耳与舌虽是两个器官，却拥有同样的天性。在你生命质朴而高尚的疆域中安身吧，随心所欲，你一定会再造“前世”。

4. 我们的宗教、我们的教育、我们的艺术都唯他国是瞻，我们的社会精神亦是如此。人人都以社会进步的华羽装饰自己，却无一人真正进步。

社会从未进步。它一方面飞速前进，另一方面却以同样的速度倒退。它经历了不断的变化，从野蛮社会到文明社会，到基督教社会、富庶社会、科技社会，但这些变化并非进步；因为每有所得，则必有所失。社会获得了新技艺，却丧失了旧本能。衣冠楚楚、知书达理、善于思考的美国人，衣兜里揣着怀表、铅笔和钞票；而那些赤身露体的新西兰土著，其财产只有大棒、飞矛、草席，以及一间容纳所有人同寝的茅棚，而他只占有这无法分割的空间的二十分之一。这两者的差别是多么鲜明！然而，比较一下这两种人的健康，你会发现，白人已经丧失了原生的体力。假如旅行家传言确有其事，那么，用一柄巨斧砍伤野蛮人，一两天之内，他的肌肉便会愈合，伤口痊愈，仿佛那一斧是砍在柔软的松脂上，然而，同样的一斧定会将白人葬送坟墓。

文明人建造出马车，却失去了使用双脚的能力。他依靠拐杖支撑身体，却严重丧失了肌肉的支撑力。他拥有精美的日内瓦手表，却丧失了依靠日头判断时间的本领。他有格林尼治天文台的航海年历，只要有需求，天下信息无所不知，但是，行走在街头的人却认不出天上的星星。夏至冬至他从不观察，春分秋分他所知甚少。一整本年历每个日子都生动灿烂，而他的头脑中却从没有日晷存在。他的笔记簿损坏了记忆；他的藏书压垮了智慧；保险公司只得增加意外事故的项目和次数。机器是否构成累赘，我们追求高雅的途中是否丧失活力；基督教庙堂林立，教规森严，将我们重重保护，是否使我们丧失某种野性的活力——这些都是问题。每一个斯多葛都是斯多葛派信徒，而在基督教里的基督徒却在哪里?

道德的偏离，与身高和体重标准的偏差相比，差别没有多大。现世的人不比从前的人更伟大，原始时代与最新时代的伟人相比，竟是如此相当。19 世纪的科学、艺术、宗教、哲学，无法用以教育两千三四百年前普鲁塔克笔下的英雄人物。人类并未与时俱进。福基翁、苏格拉底、阿那克萨哥拉、第欧根尼都是伟人，但他们并未留下同类之人。即便果真有人与他们同类，也不会以他们的名号为世人所知，他只能是自己的同类人，而后自立门派，自为一家。每个时代的艺术和创造只不过是这个时代的彩装，不能给人类带来活力。改良的机器所带来的伤害抵消了它的益处。哈德森湾和白令海峡乘着渔舟取得了如此辉煌的成就，令帕里半岛和富兰克林湾惊叹不已，因为他们的设备用尽了一切科技资源，却无法完成同样的任务。伽利略仅凭一个观看歌剧的镜片，就发现了一系列无比壮丽的天体现象，其成就之辉煌令后人望尘莫及。哥伦布乘着一条没有甲板的小船发现了新大陆。每隔一段时间，就会有一些手段和机器遭到淘汰，从世上匿迹，而几年前或是几百年前，这些东西却在各种赞誉声中被加以引进，这种现象实在令人不解。本真的人是伟大天才之所归。我们将战争技艺的改进视同科学的胜利，然而拿破仑却是凭借宿营作战征服了整个欧洲，他的策略靠的是赤膊上阵的勇猛，抛弃了一切便利的累赘。拉斯·卡萨斯说，这位皇帝认为，“如果不废除武器、弹药、粮秣、车辆”，就不可能建立一支完美的军队，“除非模仿罗马习俗，让士兵领取玉米补给，用手磨研成面粉，亲自烘烤面包。”

社会犹如波浪，波峰滚滚前进，而形成浪涛的海水本身却止步不前。同一个水花不会从波谷冲上浪峰。这种统一蔚为观止。今天构成一个民族的人们明天就会死去，他们的经验也会随着他们一起付之东流。

依赖财产，包括对财产实施保护的政府，都是缺乏自立的体现。长期以来，人们只能看到物质，而看不到自己，将宗教、学术、政府机构视为财产的卫士；他们谴责对这些机构的攻击，因为他们视之为对财产的攻击。他们衡量彼此间的尊重，不是看每个人是什么，而是看每个人有什么。然而，一个有识之士，出于对他本性的重新尊重，会以他的财产为耻。倘若他的所有乃是意外之财——即继承、馈赠或是盗劫而来的财产，则会令他格外憎恶。他觉得这份财产就是一无所有；这财产并不属于他，在他身上没有根基，仅仅是储存在这里，因为还没有革命或盗贼将它拿走。然而，一个人的实质总是来自他必要的获取，而这种获取是有生命的财产，它不会听命于统治者、暴民、革命、火灾、风暴或是破产，而是永远地自我更生，只要他还在呼吸。“你的命运在寻找你，”阿里（第四任哈里发）说，“所以请停下来吧，停止对它的追寻。”我们对外来货物的依赖导致我们对数量的卑躬屈膝。政党有数不尽的集会，集会规模越大，年轻的爱国者，面对上千双注视的目光和上千只挥舞的臂膀，就越感到自身的强大；每一次集会的宣布都会引起震天的呼喊：埃塞克斯的代表！新罕布什尔州的民主党代表！缅因州的辉格党代表！改革家们也照猫画虎，召集会议，组织投票，举行民众裁决。啊！朋友们！上帝不会以这样的方式进驻你的心灵，而是以恰恰相反的方法。一个人只有推掉所有外援，孑然独立，我才能看到他的坚强，看到他战无不胜。他的旗下每招募来一名新兵，队伍的战斗力就会减弱一分。一个人难道不比一座城镇更宝贵吗？不要向别人索取，在这永不停息的纷纭变化中，你就是那唯一坚固的梁柱，需永远屹立在环绕你的人群之中。一个人要懂得力量与生俱来；要懂得自己之所以脆弱不堪，是因为他在自身之外，在别处寻找善；领悟到这一点，他就会毫不犹豫地投靠自己的思想，立刻纠正自己，昂首直立，指挥自己的四肢创造奇迹，恰如靠双脚站立的人要比靠头倒立的人更健壮一样。

所以，要利用所谓“命运”的一切。大多数人与命运赌博，要么赢得一切，要么失去所有，全凭那命运之轮的旋转。然而，你一定要丢弃这非法所得，听从因果的裁决，它们是上帝任命的法官。按照意志去劳作，去收获，你必将锁住机缘的转轮，从此以后便安坐不惊，不必惧怕它的旋转。一次政治上的胜利、一次租金的上涨、家中病人的康复、久别朋友的归来，或是其他喜事，都会让你精神振奋，让你感觉美好的日子已经做好了准备，迎接你的到来。不要相信！因为除了你自己，没有什么能带给你安宁；除了原则的胜利，没有什么能给你带来安宁。

孤独

选自《瓦尔登湖》

亨利 · 戴维 · 梭罗

1817—1862

梭罗出生在马萨诸塞州康科德的瓦尔登湖附近，尽管湖的名字叫瓦尔登池（Walden Pond），但实际上是一个湖泊。他深信自然世界的重要和价值，相信俭朴生活的高尚。他创作的诗歌、哲学和自然史作品，展示了他对自然界及其各种过程的强烈兴趣和享受，体现出丰富的文学风格和微妙的情感。他的文章《反抗公民政府》（也称为《公民不服从》）发表于 1849 年，影响了世界各地的活动人士和思想家，包括小马丁 · 路德 · 金和圣雄甘地。然而，梭罗最著名的作品是《瓦尔登湖》（1854），这部散文集详细描述了他在瓦尔登湖附近的小屋里独自生活两年的经历。关于孤独的那一章节是这部杰作的关键部分之一。

这是一个美妙的夜晚，全身只有一种感觉，每个毛孔都在吸收着喜悦。我在自然中自由来去，成为她的一部分。我穿着衬衫，踩着石子，沿着湖岸漫步。天气多云有风，还有点寒意，没有什么吸引我的目光，引起我的兴致。然而，大自然中的一切却让我感到分外惬意。牛蛙鸣叫着迎来夜晚，水面上微风摇曳，传来夜鹰的歌声。湖风中，赤杨和白杨的叶子簌簌作响，唤起我与它们的同感，使我几乎无法呼吸。然而，就像那湖水一样，我内心微微泛起涟漪，却没有搅动我的宁静。晚风吹起的微波，如湖光倒映的水面一样平静，离那风暴的猛烈却是十分遥远。现在天色已暗，风却依然吹动着，在树林中呼呼作响，波浪拍打着湖岸，一些动物用它们的歌声让这安歇的世界入眠。然而，这种安歇并不是绝对的。那些最狂野的动物并没有安歇，此刻正寻找着它们的猎物。狐狸、黄鼠狼、兔子，在原野上、树林间漫游着，一无畏惧。它们是大自然的守卫者，是将生机勃勃的日子相连的链环。

当我回到住所，发现已经有客来访，还留下一张名片，或是一束花、一圈常青花环，或是在胡桃黄叶或木片上用铅笔写下的名字。那些很少来这林中的访客，总是撷取一小些东西，拿在手中一路把玩，而后又有意无意地留在这里。有人剥下柳枝，做成戒指，丢在我的桌上。凭借那压弯的小枝或草叶，或者鞋子留下的脚印，我总是可以知道是否有客人在我不在时来访过。从他们留下的些许痕迹，我大致可以猜出他们的性别，年龄和品格，比如，一支被丢弃的花朵、一把被拔起而又扔掉的草，有时甚至被抛弃在半英里开外的铁道旁，又比如一股久久不散的雪茄或烟斗的气味。不，凭着烟斗的气味，我还能常常注意到六十杆开外沿着大路行走的游客。

一般来说，我们周围的空间足够开阔，地平线从不出现在伸手可及的地方。那茂密的森林并不总是坐落在我们的房门口、池塘边。然而，总有一块林地被清空，为我们所熟悉，被我们踩于脚下。我们将它从大自然手中夺来，据为己有，并围上某种形式的篱笆。这么大范围的广阔土地，几平方公里人迹罕至的森林，我有什么理由将他据为己有呢？离我最近的邻居住在 1.5 公里开外，除非站在距房子一公里之外的山顶上，否则看不到任何人家。我的视野所及之处完全被森林所包围，全归我一人享有。极目远望，湖畔的一侧与铁路相邻，另一侧是围起森林公路的篱笆。湖区的绝大部分都非常僻静，就像我生活过的大草原一样。这里既具有新英格兰的特征，又同样具有亚洲或非洲的特征。我仿佛拥有自己的太阳、自己的月亮和自己的星辰，拥有自己的一个小小的世界。夜里从不会有游客从我的房前经过或敲响我的房门，仿佛我就是这世界上的第一个或最后一个人。只有在春季的时候，隔很长时间才会有人从村庄到这里来钓鳕鱼——显然，他们垂钓的瓦尔登湖，更多是与他们本性相宜的那个瓦尔登湖——他们用夜色的黑暗做鱼饵，带着轻轻的鱼篓很快撤离，“把世界留给黑暗，留给我”，夜的黑暗核心从未被任何人类邻居亵渎。我相信，人类大抵还是有点恐惧黑暗，尽管所有的女巫都已被绞死，基督教和灯烛已被引进到人间。

然而，有的时候，我有这样一种体验——在自然的一切事物中，都可以找到最甜蜜、最温柔、最纯洁、最令人欢欣的伴侣，即便对那可怜的厌世者和最忧郁的人来说，也是如此。一个人生活在自然中，拥有自己的一切感觉，不可能有那黑色的忧郁。风暴并不存在，对一只健康无邪的耳朵来说，那是伊奥利亚的音乐。对一个单纯而勇敢的人而言，没有什么能够让他陷入庸俗的忧伤。我享受四季的友谊，我相信，没有什么能够把生命变成累赘。细雨灌溉豆田，让我今日无法出门，但那并不是沉闷的、忧伤的雨。对我来说，那雨依然是美好的。这细雨虽使我无法锄豆，它的价值却远远超过耕耘。如果雨水久下不停，让土里的种子腐烂，让种在低地的马铃薯发霉，但对长在高地的青草，却依然是甘霖。既然这雨有益于青草，也必将有益于我。有的时候，我拿自己与其他人相比，仿佛我比他们更多地得到天神的眷顾，这份垂爱超过了我知道的一切功劳；仿佛他们手中持有对我的担保或保证，而我的同类却没有，仿佛我得到了天神特殊的引导和呵护。我不会自矜，但天神却有可能恭维我。我从未感到孤单，没有一丝寂寞的压迫感，只有那一次，一个星期之前我来到林间的那一次，在这里的一个小时，我产生了怀疑——不知对宁静、健康的生活而言，拥有人类作为近邻是否必不可少。独处总是多少有些令人不快的，不过，我同时也意识到，在我情绪中有一丝疯癫，也似乎预见到我的康复。这些思绪占据了我的心灵，在绵绵细雨中，我忽然感受到了大自然甜蜜、怡人的陪伴，那感觉就在雨点的滴答声中，在我房子周围的每一个声响、每一幅景象之中。那是一种无边无际、不可名状的友爱，就像我赖以生存的大气，让想象中有人类作为近邻的种种好处都变得无足轻重，也从此不再想到他们。每一根小松针都舒展开来，充满同情，与我为友。我突然这么清晰地意识到，即使在我们习惯视为狂野和枯燥的地方，也存在着某种与我具有亲缘关系的事物；我还意识到，与我的血统最近的，最富有人性的却不是人，也不是村民，从此不再有什么地方让我感到陌生：

过度的哀痛将消耗人的精神；
在生者的土地上，他们的时日不多，
托斯卡美丽的女儿啊！

我最快乐的时刻，是春秋两季暴雨持续不断的时刻，大雨使我上下午都不能出门，雨不停地咆哮着倾盆而下，却给了我一丝慰藉；早来的夕暾迎来长夜，让无数思绪生根绽放。滂沱大雨从东北方瓢泼而至，考验着村居，而当女佣拿着拖把和水桶站在前院拦水的时候，我则站在我的小屋门后，恣意地享受着它的保护，那扇门是雨水的唯一入口。在一次猛烈的暴雨中，闪电击中了池塘对面的一棵大油松，留下一道明显的、极其规则的螺旋沟纹，从上至下，大约 2.5 厘米深，11 厘米宽，就像在手杖上刻出的槽沟一样。那天，我又从这棵树旁边经过，抬头看到那道痕迹，敬畏之情油然而生。这道沟痕现在更加明显了，就在那个地方，八年前，一道可怕的、不可抗拒的雷霆就从那无邪的天空中降下。人们常常对我说："我觉得你在那里一定感到孤单，想靠近人居住，尤其是在雨雪天和夜间。"我总想这样回答他们——我们居住的这个地球只不过是宇宙中的一个点而已。在远处的那颗星，我们的仪器尚且无法测量它的大小，而居住在星球上的两个人，他们彼此远隔一方，你怎么能知道他们的距离呢？我为什么要感到孤单？我们的星球不就在银河中吗？于我而言，这似乎并不是那个最重要的问题。什么样的空间，能把一个人与同类分开，让他成为孤独的人？我发现，腿脚的活动并不能让两个心灵更加靠近彼此。我们择邻而居，最想得到的是什么呢？当然，对许多人来说，他们想靠近的不是车站，不是邮局，不是酒吧，不是会厅，不是学校，不是杂货店，不是灯塔山或五点区那些人们最常聚集的地方，而是想靠近我们永久的生命之源。我们从一切经验中得知，生命就从那里流淌而出，就像靠近水源的垂柳会把根部伸向那个方向一样。这种选择会随不同的性格而变化，但这个地方便是智者将来挖掘地窖的地方。一天晚上，在瓦尔登湖的路上，我赶上了一个住在镇子里的同乡，他正赶着两头牛到集市上去卖。他积累了“一笔可观的财产”——尽管我从来没有机会看到过——他问我怎样会心甘情愿地放弃这么多人生的乐趣。我回答说，我喜欢这样的生活，这种生活过得还算不错，我敢肯定。我没有开玩笑。于是我便回家睡觉去了，让他自个儿在黑暗和泥泞中摸索着向布莱顿（或叫布赖镇）走去，这个地方他要在第二天早上才能走到。

对于一个死去的人，任何苏醒或复活的未来可能，都使一切时间和地点变得无关紧要。这种可能总发生在相同的地方，我们的所有感觉都美妙得无以形容。大多时候，我们只允许那些外在的、转瞬即逝的条件成为我们行动的动机。实际上，那些都是让我们精神涣散的原因。离万物最近的是创造它们的力量，其次靠近我们的，是那些运行不辍的最宏伟的法则，再靠近我们的，不是我们雇佣的那些我们喜欢与之交谈的工匠，而是创造我们的工匠。

"神鬼之为德，其盛矣乎。"

"视之而弗见，听之而弗闻，体物而不可遗。"

"使天下之人，斋明盛服，以承祭祀，洋洋乎，如在其上，如在其左右。"

我们都是一项实验的对象，这实验令我颇感兴趣。在这种情况下，我们就不能撇开这众说纷纭的社会一小会儿，只让我们自己的思想来鼓舞我们吗？孔子说得好，"德不孤，必有邻。"

保持思想，我们就可以神志清醒地超然于自身之外。借助心灵的有意识运转，我们就可以远观自己的行为及其后果；一切事物，无论好坏，都如洪流一般从我们身旁滚过。我们并不是全然投身于大自然之中。或许，我就是那溪流中漂浮的木头；或许，我就是那从天空俯视这浮木的因陀罗。一场戏剧演出可能令我为之动容；而另一方面，现实中一件看似与我密切相关的事，却未必能感染我。我只知道，我是个实实在在的人，不妨说，我就是我的思想和感情产生的现场。我意识到，我具有某种双重性，可以像远离别人一样远离自己。不论我自己的体验有多么强烈，我总能意识到，自我中有这样一部分，它存在着，并对我进行批判，却仿佛不是我的一部分，而只是一个旁观者，与我没有共同的经历而却在时刻关注我；他既非你，也非我。等到人生的戏——或许是一出悲剧——演完，那观众便兀自离去。对他来说，人生是一种虚构，只是想象的作品。但是，这种双重性有时会很难让我们获得邻居和朋友。

我发现，大部分时间里，离群索居大有裨益。有人陪伴时，即使是最亲密的伴侣，也会很快生厌，让好感渐渐褪去。我喜欢独处。我从未发现比孤独更好的伴侣。大多数情况下，当我们置身户外，混迹于人群，却比独处一室更觉孤独。一个人总是在孤独中思想和工作，既然如此，他想在哪里就在哪里吧。孤独不能以一个人与同伴在空间中相隔的里程计算。真正勤奋的学生，在剑桥学院像蜂巢一样拥挤的室内，就像沙漠中的游方者一样孤独。农夫可以一整天独自在田中耕作，在林间工伐木，而不觉得寂寞，因为他忙于劳动；可是到晚上回到家中，他却无法独坐一室之内，放纵自己的思想，而是必须到“看得见的人”的地方去消遣一把。他觉得，这样的消遣能够补偿他一天的寂寞；于是他心生纳闷，为什么学生整日整夜独坐屋中却不觉无聊或“忧郁”；可是他不明白，学生虽然身处室内，却是在他的田里劳作不辍，在他的林中伐树，就像农夫在田间或林中劳作一样；学生也会像农夫那样去寻找消遣，进行社交，只不过这种消遣和社交形式更加简练而已。

社交的价值通常很低廉。我们短暂聚会，无暇让彼此获得任何新的价值。我们一日三餐相聚一起，身上散发着陈腐酸臭的奶酪味，让彼此重新闻过一遍。我们不得不遵守某一套规则，即所谓礼仪或礼貌，这样方能容忍频繁的相聚，才能避免公开的战争。我们在邮局会面，在交谊场所相逢，每天晚上围坐于篝火旁。我们紧紧地挤在一起，挡着彼此的道，绊倒在对方身上。我觉得，这样的生活，使我们丧失了彼此间的敬意。当然，所有重要而真诚的交往，即便少一些频率，也完全足够。想想工厂里的女工吧，她们永远无法独处，即便在梦中也不会孤独。两平方公里的地方，如果只住一个人，就像我所住的地方，那就最为理想。人的价值不在于他的肌肤，我们没有必要去触碰它。

我听说，有个人在森林里迷失了方向，他饥肠辘辘，精疲力尽，气息奄奄地倒在一棵树下。他看到了一些光怪陆离的景象，于是不再感到寂寞。然而，这一切却是因为他身体虚弱，被病态的幻觉所缠绕，才让他信以为真。同样，对于身心健康、精力充沛的我们，与他人的交往常常使我们精神振奋，从而意识到我们从未孤独过。这与上述情况类似，但我们的交往更正常、更自然些。

在我的家中，有无数伴侣，尤其是清晨无人造访之时。让我来打几个譬喻吧，或许这样能够描绘出我的状况。与湖中高声欢叫的潜水鸟相比，我并不比它更寂寞，也不比那瓦尔登湖更寂寞。请问，那孤独的湖，以什么为伴？然而，在那蓝色的湖水中，没有蓝色的魔鬼，而有蓝色的天使。太阳是孤独的，除非在乌云密布之时——那时似乎有两个太阳，只是其中的一个是假太阳。上帝是孤独的，但魔鬼却从不孤独。魔鬼的眼中能看到无数伴侣，他有无数个自己。

与牧场上的毛蕊或蒲公英，或豆叶、酸模、马蝇、大黄蜂相比，我并不更孤独。与磨坊溪，或风信鸡、或北极星、南来的风、四月甘雨、正月融雪，或新屋里的第一只蜘蛛相比，我并不更孤独。

在漫长的冬夜，当大雪纷飞、林风呼啸的时候，会有一个老居民，也即此地原来的业主，偶尔过来拜访我。据说当年就是他挖出瓦尔登湖，磊起石块，环湖栽上松树。他给我讲了许多故事，有旧时掌故，也新近流传的传奇。我们两个就这样一起度过欢快的夜晚，享受彼此相伴的乐趣，交换对时事的乐观意见，即使没有苹果和苹果酒助兴。他是个非常睿智、风趣的朋友，我非常喜欢他，他比戈夫或瓦利还会隐藏行踪。尽管人们认为他已经不在人世，却没人能说出他的坟墓所在。还有一位老太太也与我相邻，但大多数人看不到她的踪影。有的时候，我喜欢到她那芳香四溢的百草园去散步，采集一些药草，听她讲寓言故事。她天赋异禀，有着非凡的想象力，她的记忆比神话还要久远，能够说出每个传闻的源头，讲清每一则故事的事实根据，因为这些事都发生在她年轻的时候。这位老太太脸色红润、精力充沛，无论什么天气、什么季节，总是神采奕奕，她的生命一定会超过她的子女。

阳光、风雨、冬夏——大自然用她那难以描述的纯洁和仁爱，让我们永远如此健康，如此快乐。她对人类的同情无比深切，倘若有任何人因正当的原因悲伤，整个大自然都会受到触动：太阳会为之黯然失色，风儿会为之仁慈地叹息，云儿会为之落下泪珠，树木会在仲夏季节脱去树叶，披上蓑衣。难道我不应该和大地进行心灵的沟通吗？我的一部分不正是绿叶，不正是植物生长的土壤吗？

什么样的丹药会使我们保持健康、安宁、满足？不是你我曾祖父的丹药，而是我们的曾祖母即大自然的良药，它长遍天涯海角，每一株植物，每一种花卉，无不是良药。这些药让她青春永驻，寿命超过了同时代无数的“寿星老帕尔”，她以他们衰竭的膘肉为自己的健康供给滋养。庸医们将冥河水与死海水混在一起，灌入药瓶，用一辆辆像黑色浅底大帆船的马车运到人们手上，人们还会看到，那些马车有的时候会运输药瓶。然而，我的灵丹妙药，可不是那样的药水，还是让我喝上一口没有稀释的清晨的空气吧！这清晨的空气啊！如果人们不愿在每日的源泉喝下这清纯的空气，我们为什么还要把它灌到瓶子里，拿到店铺里去，卖给世上那些失去黎明订购票的人们？但是请记住，就算在最凉爽的地窖里，它也不能保存过正午。还是早一点把瓶塞打开，追随曙光女神奥罗拉西行的脚步吧。我并不崇拜健康女神许癸厄亚，即老草药医师阿斯克勒庇俄斯的女儿，她的雕像总是一只手握着一条蟒蛇，另一只手拿着一个杯子，蟒蛇有时会去喝杯子里的水。我崇拜朱庇特的斟酒官赫柏，她是朱诺和野萵苣的女儿，她的法力能使神和人返老还童。或许她是地球上唯一完美、健康、富有活力的少女。她走到哪里，哪里就有春天。

自我的孤独

伊丽莎白·凯迪·斯坦顿

1815—1902

斯坦顿的职业生涯始于为废除奴隶制而斗争的运动，但最为人所知的是她为争取妇女权利和选举权而领导的运动。1848 年，在纽约塞内卡福尔斯召开的妇女权利大会之后，她发起了美国第一场有组织的妇女权利运动。斯坦顿还公开批判法律，抨击男女两性的不平等现象，倡导平等的财产权、监护权、就业权和收入权。1892 年，77 岁的她辞去了美国全国妇女选举权协会（成立于 1890 年）第一任主席的职务。她的辞职演说《自我的孤独》有力地讨论了女性的权利，并阐述了每个人，包括女性和男性，成为充分发展、自力更生的个体的必要性。

今天，在这个场合，我想在这里提出来讨论的话题包括，我们每个人灵魂的个体性、我们的新教思想，即个体良知和判断的权利，以及我们的共和思想，即个体的公民权。在我们讨论妇女权利的时候，需要考虑以下问题：

首先，作为一个个体，女人拥有什么？作为个体，女人是自己命运的仲裁者，是想象中的鲁滨孙·克鲁索，她在孤岛上生存，也拥有自己的女仆星期五。在这种条件下，她的权利就是运用她的一切能力，以保障自己的安全和幸福。

第二，如果我们把她作为一个公民，作为一个伟大国家的一员来考虑，根据我们政府的根本原则，她必须拥有和其他所有成员相同的权利。

第三，如果把她视为一名女人，人类文明中平等的一分子，她依然拥有相同的权利和义务，即个人的幸福和发展权。

第四，只有在一些无法选择的人生天然关系上，如母亲、妻子、姐妹、女儿，才会涉及特殊的义务和训练。

给予妇女机会，使她们接受一切高等教育，全面开发自己的能力，启发心智，强健身体，给予她思想和行动的最大自由，把她从一切束缚、一切习俗，一切依赖关系、一切迷信中彻底解放出来——这样做的最大理由就是，她要对自己的个体生命独立负责。在对她实施管辖的政府中，在要求她付出信仰的宗教里，我们要为妇女争取发声的权利；在妇女扮演重要角色的社会生活里，我们要为她们争取社会平等权；在她凭自己的力气养活自己的各行各业，我们要为妇女争取地位——这样做的最大原因是，她生来就有自我主权，她作为个体必须依赖自己。无论有多少女人希望依赖他人，接受他人的保护和供养，也无论有多少男人愿意这样做，她们必须独自踏上人生的远航，为了预防航行中的事故，确保安全，她们必须懂得一些航海的法则。为了给我们自己的舰船导航，我们必须成为船长、舵手、工程师；必须拥有航海图和罗盘以在轮船上掌舵导航；必须学会观察方向，识别波浪，懂得何时收起风帆，懂得观察天象，号令众人。那个孤独的航海者是男是女，这并不重要。自然赋予他们同样的能力，会在危急的时刻信任他们各自的才能和判断力；如果他们不能胜任，同样都会灭亡。

每一个人类的灵魂都应当拥有独立的行为能力，要理解这点的重要性，不妨思考一下，自我的孤独是多么的无边无际。我们孤独地来到这个世界，每一个人的遭遇各不相同，而后又孤独地离开这个世界，遭遇同样不同于先我们而去的所有人。那个在生命的海洋上刚刚形成的灵魂，前无古人，后无来者。在我们降生之前，就已经存在各种左右我们的力量，这样的影响从此将不会再有。那种决定了我们婴幼、青壮和成年的环境也不会再有。自然绝不会重演，一个人灵魂的种种可能，永远不会在另一个人身上找到。没有人看到两个一样的丝带草草叶，也没有人会看到两个相同的人。因此，当我们懂得了人类个性的无限多样性，我们就能体会到，还有一类人没有受到教育，没有在政府中拥有代表权，这对一个民族来说是多大的损失。

我们首先为每一个个体的利益和幸福而要求完全发展权。当我们装备军队的时候，我们会发给每一个士兵背包、武器、弹药、毛毯、杯子、军刀、叉子和勺子。我们为每一个人配给个人必需品，每一个人必须背上自己的辎重。

同样，我们为大众的利益要求完全的个体发展权；为了人类的整体利益，为了解决国民生活的所有问题。我们共举贤能；在此，每一个人必须承担他分内的责任，也必须承担公共的责任。我们很伤心地看到，那些没有朋友的孩子，还没有搞清自己的感情之前，就得很早独自忍受压力。甚至在他们还没有分清欢喜和忧伤之前，就不得不自食其力。自然给我们的最大教训似乎是，不论我们多大年龄，都要学会自我独立、自我保护和自我支持。

年轻时代，我们最刻骨的失望、最宏伟的期望和壮志只为我们自己所知。甚至我们的友谊和爱情也从未完全与他人分享。无论什么情况，无论何种激情，我们总是有所隐藏。我们甚至隐藏我们的失败和胜利。

在友谊分裂、爱情破碎的焦虑和痛苦中，我们不会向他人索取同情。当死亡拆散我们最亲近的关系，我们只会独自坐在痛苦的阴影中忧伤。同样在人生的大喜大悲之中，我们踽踽独行。在人生成就的巅峰，当我们成为众人称颂和崇拜的英雄或圣人，我们茕茕独立。无知、贫穷和罪恶中的我们，就如同乞丐和罪犯，孤零零地在饥饿中死去或者去行窃。我们孤零零地承受同胞的耻笑和斥责；我们在追赶和攻击下孤零零地躲进黑暗的院落和胡同里，跑到偏僻的小道或大路上；我们孤零零地站在被告席上；我们孤零零地在监狱的牢房里忏悔自己的罪行，哀叹自己的不幸；我们孤零零地在绞刑架上为自己赎罪。在这些时刻，我们意识到个体生命的那种悲惨的孤独，意识到它的痛苦，它的罪愆，它的责任。在这些时刻，最年轻的和最无助的人都不得不自力更生，为自己指明方向，提供安慰。因此，当我们看到，人生只能是一场行军，一场战役，每一个士兵必须准备好保护自己，我们便认识到，剥夺一个人的自然权利是最大的残忍。

阻碍一个人获得全面教育就像挖掉他的眼珠；剥夺财产的权利就像砍掉双手；拒绝政治平等就是剥夺被放逐者的所有自尊，就是剥夺他在生意场上的信誉，就是剥夺他在工作中的酬劳，就是剥夺他在选择立法者、执法者时的声音，就是剥夺他选择宣布刑罚判决的法官的自由。想一想女人的地位吧！她被剥夺了自然权利，法律和习俗总是妨碍她的手脚，却不得不孤独地战斗，在生命危急的时刻，依赖自己的力量保卫自己。

在有些机构，年轻的妻子和母亲成为核心，她们拥有一个慈爱的丈夫为他们遮风挡雨，她们拥有财富、幸运和地位，她们有某种安全的港湾，或她们不受生命种种不幸的侵扰。为了能维持好家庭，发挥积极的社会影响，交得朋友，获得丈夫的柔情，训练好孩子和仆人，她必须有非凡的常识、智慧、交际手段，以及对人性的理解。为了实现这些目标，她必须具备最成功的政治家所拥有的个性的优点和基本的美德。一个没有受过教育的独立女性，由于没有自己的谋略和机智，在生活的所有岗位上只会遭受失败。然而，社会却说，女人不需要懂得世界的知识，不需要接受公众生活中必需的自由思想的训练，不需要享受大学教育的种种优势；然而，当她不具备所有这些东西的时候，女人的幸福就遭到了破坏，便只能孤独地忍受她的耻辱；无知者和弱者的孤独才是最可悲的。在人生追名逐利的疯狂竞争中，她们被碾压成粉末。

在年龄方面，当青春的享乐成为过去，子女长大，结婚，离开父母，人生的忙碌在某种程度上就已经结束，此时的双手已经厌倦了勤劳，老躺椅和壁炉旁成为休闲的理想场所，于是男人和女人们都必须依赖自我的力量和智慧了。如果他们不能在书本中找到伴侣，如果他们对当下局势的关键问题没有丝毫兴趣，如果他们无意观察原本认同的变革是否能够完善，他们很快就会进入老聩昏花的状态。心智功能越是得到完全的发展与不断的实践，我们对周围一切的积极兴趣与自身的活力就越能持续下去。如果在毕生参与公众事业的过程中，一个女人能感到自己有责任监管调控我们教育体系的法律，有责任强化我们的监狱和看守所的纪律，有责任改善个人家庭、公共建筑和大路的卫生条件，有兴趣参与贸易、金融和外交，那么，她的孤独至少是值得我们尊敬的，也不会落到成为人们闲言碎语、街评巷议对象的地步。

我们要向每一个灵魂打开通往所有人类责任和乐趣的大门，这样做的主要原因是，如若个体获得这样的发展，就具备应对一切状况的资源，就使每个人在某个时刻必定经历的孤独得以缓解。

那么，既然女性同样拥有古往今来的欢乐和忧伤，那么，男人们自作主张，在投票箱和荣誉的宝座前代表她，在州选举中替她投票，在教堂中为她祈祷，在家庭的祭坛上扮演高高在上的神父，这不是专横独断的极致表现吗？

没有什么能比个体的责任心使判断更睿智，良知更纯洁。没有什么比认识到自我主权的存在更能提高个性的尊严；这自我主权是享有同等地位的权利，每一块土地、每一个地方都通过个人的荣誉挣得，而不是通过继承、财富、家庭或地位等虚假的手段获得。因此，当我们承认生命的责任对于男女都是同等，他们的命运都相同，那么，他们就同样需要对当下和身后做准备。人们总是说，要保护女人，使她们不受生命风暴的摧残，这是彻头彻尾的笑话，那风暴从四面八方向她袭来，就像砸男人的头时一样凶残；他们这样对待女人，其结果更加致命，他已经受到了训练，懂得保护自我，懂得抵抗，懂得征服。这就是人生在世的事实，也就是个体主权的种种责任。不论贫富，不论愚智，无论好人坏人，不论男女，皆是如此，每一个灵魂都必须完全依靠自己。

无论人们提出怎样的理论，认为女人应当依赖男人，在她生命的最终时刻，他不可能为她承担重负。她孤单地走向死亡的大门，把生命献给每一个降生到这个世界上的人；没有人能分担她的恐惧；没有人能减轻她的痛苦；即便她的痛苦比起她从传闻中知道的痛苦更剧烈，也只能独自通过这扇大门，进入那永恒的无名之地。

很久以前，在犹地亚山顶上，一个来自天庭的声音吩咐他的信徒:“担起你们彼此的重负吧”；然而人类还没有达到那高尚的自我牺牲的顶点；即便他们愿意这样，一个灵魂能为另一个灵魂担起的重负实在是少之又少!

因此在人生各种矛盾的场景中，在那漫长的、令人疲乏的征途中，每一个人都必须孤独地行走。我们或许有许多朋友，有许多爱、善意、同情、慈悲，可以用这些来使日常生活的道路更顺畅，但是，在人生经历的大喜大悲中，每一个普通的人都是孤单的。

但是，当一切人为障碍被扫除后，妇女的个体地位就会得到承认，她们为自己的环境负责，在生命中所有需要她们发挥作用的位置上，她们都受到完全的教育；她们自身拥有了自由思想和开明文化能给予的所有资源；在她们自己的良知和判断的指导下，接受自我保护的训练，肌肉体系健康发展，熟练掌握武器和防御技能；商务知识和钱财独立给予她们的愉悦激发出她们自立的意识；当妇女以这种方式受到训练，在某种程度上，她们就有资格进入每个人都必须接受的孤独时刻，而不论她们是否已做好准备。在极端情况下，我们必须依靠自我，同样，智慧的命令要求我们实现完全的自我发展。

谈到教育，有一种论调认为，每一个阶级的教育必须针对它可以胜任的特殊工作，在这种特殊工作中，所有不需要的才能必须被掩藏起来，因不被使用而彻底枯竭消失。然而，或许在人生最紧急的时刻，正是这些才能是我们所需的！这个理论是多么的浅薄！有的人说："训练女孩学习语言、科学、法律，医学、神学，这有什么用处？作为妻子、母亲、管家、厨师，她们需要一个和适于所有岗位的男孩们不同的课程设置。"在我们的大饭店和远洋邮轮上，著名的厨师都是男人；在我们的大城市里，开面包店的都是男人；他们制作我们吃的面包、蛋糕和馅饼。

他们开洗衣房，被认为是我们最好的女帽商和女装制造商。因为一些男性掌握了这些实用的部门，难道我们就要调整哈佛和耶鲁的课程设置，以满足他们当前的需求吗？如果不需要，那我们为什么还需要讨论在最好的大学里为女孩设计课程？她们已经大量涌入了各行各业，成为我们所有公共学校的教师，迅速占领了社会生活中一些创造财富的位置和荣誉地位。

在所有思想领域，艺术、科学、文学界和政府中，女人已经完全与男人平起平坐。本世纪的诗歌和小说属于她们，她们开始涉足改革、宗教、政治和社会生活的主要领域。她们担任编辑和教授的职位，她们在法庭上辩论，在医院的病房内奔忙，在讲坛或讲台上讲话。这就是今天的启蒙思想所欢迎的那种女性状态，生命的事实取得了对过去那些虚假理论的胜利。

那么，能不能把今天发展的女性与过去那些手持纺轮和织衣针的女人相提并论，用同样狭隘的政治视角限制她们呢？不，决不能！机器已经取代了女性和男性，把重负放到了它们不知疲倦的肩膀上；纺织机和纺轮不过是过去的梦想；钢笔、毛刷，画板、凿子已经各就各位，女人们的希望和志向已经发生了本质的变化。

对于人类的外在条件，我们有充分的理由要求实现个体的自由和发展，然而，当我们考虑每一个人类灵魂的自我独立时，我们看到，人们需要的是勇气、判断力和身心每一个官能的运用，它们应该在应用中得到加强和发展，无论男女都是如此。

无论男人在一般条件下的保护能力如何，在所有可怕的陆地和海洋灾难中，在最危险的紧急时刻，女人必须孤独地面对这些恐怖的场合。死亡天使不会为她铺就坦途。男人的爱和同情，只有在阳光灿烂的时刻才会进入我们的生命。在自我的这种庄严的孤独中，在我们与无量和永恒事物的连接中，每一个灵魂永远孤独地生存。最近，一位作家这样说道:“我记得有一次，在穿越大西洋的航程中，午夜时分来到船的甲板上面，我看到一团乌黑的密云笼罩着天空，恶魔般的狂风鞭打着海浪，那浩瀚的大洋疯狂地咆哮着。我并没有感到危险或恐惧（那是非凡灵魂的卑鄙投降），而是感到彻底的绝望和孤独；我是一粒生命的微尘，被锁闭到这无限的黑暗之中。”

然而，有一种孤独，我们每一个人都一直拥有，它比那如冰一样寒冷的山脉更无法接近，比午夜的海更加深广，那就是自我的孤独。我们称为自我的那个内在的存在，没有人，也没有天使能用他的眼睛和手穿透。那孤独，比那土地守护神的洞穴，比神殿最圣洁的内堂，比厄琉息斯的秘密仪式，隐藏得还深，只有洞悉一切的人才能进入。

这就是个体的生命。我要问你，哪个人竟敢把另一个人类灵魂的权利、义务和责任据为己有?

有一种空间的孤独

艾米莉 · 狄金森

1830—1886

她出生在马萨诸塞州的阿默斯特镇，年轻时曾在当地的两所大学就读，后来退居到孤寂隐居的家中。从 19 世纪 50 年代末开始，她几乎完全远离周围的社交世界，靠通信维持大部分友谊，并很少离开卧室。狄金森写了近 1800 首诗，如今许多都被认为是现代杰作，但她在世时只出版了少数几首。去世后，狄金森诗歌创作的全部内容才得以为人所知。自 20 世纪 30 年代以来，她的声誉进一步巩固，现在被公认为一位独特、严谨、深刻的诗人，其作品以简洁的风格和富有挑战性、神秘的内容而广为人所知。

有一种空间的孤独
海的孤独
死亡的孤独，但要比较一下
此般孤独的陪伴
与那更加深邃的地方——
也即一个灵魂允许
自己拥有的
极限的隐秘之地——
那有限中的浩瀚无边。

孤独

爱丽丝·梅内尔

1847—1922

梅内尔在英国和意大利长大，她的写作生涯始于《前奏曲》，这是一本诗集，在她28岁时出版。她一生都在写诗，同时还是一位多产的记者、编辑和散文家。19世纪末，梅内尔积极发声，为那些在欧洲殖民主义手中遭受苦难的人争取权利，直言不讳。后来，她密切参与妇女选举权运动，担任女作家选举权联盟副主席。她的文章《孤独》显示了她对人类苦难的敏感，以及她清晰、动人的文学风格。

野蛮人的孤独是任性的，而受到文明优待的人，其孤独也是任性的。不过还有许多人，文明并没有给予他们什么，除了它的一些反应、一些回弹、一些小物什、一些废品、一些碎木片、一些木屑和垃圾，以及它的失败。对他们来说，孤独是昔日逝去的权利，是无法实现的奢望。对于那些近乎野蛮的人而言，我们可以称之为昔日逝去的权利；对于那些近乎文明的人而言，我们可以称之为无法实现的奢望。这些人构成了世界的风云变幻，他们一起拥挤着进入了一条没有出路的小道。

他们本应享有的这份孤独是所有人类都应该拥有的，它是一种普遍的、无限的，几乎不受到任何限制的财产，而他们的这份财产没有人认领，就已经消失不再了。他们不知道这孤独属于他们。他们对自己拥有的许多王国一无所知，而对于这份孤独，他们最是无知。他们从来没有猜想过，每一个人都拥有一片不可侵犯的空间，一个光明磊落的自由之地，一个没有隐晦选举权的地方。他们甚至没有对封闭角落中的孤独——用钥匙和锁隔开的狭窄私密空间——提出权利要求。这是因为，对于一种拥有天空和地平线的孤独，他们不知道怎样表达愿望。

孤独永远在遥远的地方。英格兰有绵亘不绝的孤独，那就是风景，一片紧接着一片，在森林里，在隆起的山丘上，那样的地方有成千上万。或者说孤独不能用距离来丈量；孤独要用日子来数。从占有它们的那一天起，孤独就成为每一个人崭新、自由的自治领。对数不清的孤独者来说，他们都有一种寂寞。所有世纪的历史上有多少日子，人类就有多少孤独。这里是地球的招待会，来者不拒。这空间并没有缩小，静谧也没有被打破，因为成群的人都曾一个个在这里孤独地待过。孤独是一种独立的体验。不，孤独不能用日子来计算，而是由人本身来计算。每个活着的人以及每个死去的人都曾经拥有他那片“光明的私密之所”。

孤独不需要公园，只要在劳作的乡间就可以找到。一片树丛像一座森林一样隐秘。找一段时间，到一个没人看得到，没人听得见的地方，并不是很困难。即使你在幽闭中独处，那也是一种公开的孤独，因此并没有所谓的“目光的幽闭室”。在遥远的乡下找一片空间，或是天上的一片乌云，都可以是你私密的藏身之所。然而最好的孤独什么也不会隐藏。

那些聚集在一起，流落街头度过一生的人，从来不知道这种孤独。他们会不会因为连孤独的藏身之所都被剥夺而痛苦？有许多人从来没有孤独地待过一整小时。他们无奈地或者漠不关心地住在一起，就像住在寄宿公寓里的人们一样，这是一种自相矛盾的选择，他们彼此熟悉却又不那么亲密。他们在别人漫不经心的观察中生活，成为他们好奇的对象。他们的损失是一种不自愿的、无意识中的损失，这损失意味着徒劳无功、一无所获。

我们知道一些男人，还有许许多多的女人，他们将自己所有的孤独作为祭品献给了由学校、修道院、医院病房构成的永久的社会。他们毫无隐蔽地行走，那么赤诚、单纯，为众人所见，他们波澜不惊，没有变化，永远在向人们传达他们的动作与言语。他们的损失可不是徒劳无功、一无所获，他们有一个信念，并将这个信念赐给彼此，他们坚信，孤独只是迟到而已。

是谁把孤独描绘成茕茕独立、不可接近的模样？在

J. F. 米勒的许多画中，都描绘了牧羊女的孤独。那小小的身影站外远处，神态超然。画家离开后，她依然那样站着。她静候着太阳，等待牧场关闭的最后时刻。米勒在她观看的那一刻捕捉到了她，那一刻在视线之外。

如今，孤独是富人的财产，他们为之精心准备，稳握在手，竭力守护，悉心经营；然而，他们也拒绝与孩子相守的女人的那种自然孤独。一个新生儿得到精心的照顾，人们谈论他，抱着他，摇晃他，他被陌生人抱来抱去，未来还有各种纠缠不清的礼节，因此一个女人很少有足够长的时间独自思考，并意识到她的血肉怎么会在她的身旁以不同的节奏、不同的脉搏来来回回，与她无关？一切都那么俗不可耐，直到门关上，只有他们二人。这种独一无二的亲密是一种深刻的退隐，一种绝对的隔绝。它不只是个体的孤独，而是一种双倍的隔绝，比群山还遥远，比河谷还安全，比森林还深邃，比大海还深沉。

这是一种分享的孤独——世界上唯一被分享的孤独——这是关乎荣誉的伦理问题。出卖这一义务，背叛这一信任，会被视为最不能宽恕的罪恶。女人和孩子共享的睡眠是世界上最纯真的睡眠，轻微的鼻息紧紧追随着长长的鼻息，就像孩子伸展的小脚。再也没有比这睡眠更纯真的了。一个多愁善感的人最容易实施的犯罪，就是一个女人对孩子的犯罪。她的力量、她的亲昵、她的机会都可能成为她的控告者，却被用来为她开脱。她得到最漫不经心的宽容、最粗略草率的同情，大众给出这样判断的依据是，这是一种很容易犯下的罪行。

顺便指出，如今某种无度和虚妄的艺术也会宣称，它拥有这样温柔的爱抚，就像站在被告席上接受公共舆论指责的女英雄一样。那虚妄的艺术家拥有当前的一切机会。他是自己意图的主人，事实就是如此；这意图是他的秘密，公众无法分享他的艺术良知的秘密。他有意识地肆意破坏那种责任，而世界却对此一无所知。再没有什么比这个更容易做的了。或者更确切地说，他违反了法则，但他只希望世界相信，他在创作的过程中拥有自己的一整套规范。然而面对大众，在光天化日之下公开地破坏公开的规则并接受公众的谴责，再也没有什么比这个做法更破坏荣誉的了。

曾经有人说过，公园并不是准备乡间独处所必须的。的确，为了获得那一丝安宁而长途跋涉，不辞劳苦，通过各种方法和途径实现目的，这似乎无异于剥夺我们接近本应该称为简朴生活的机会。一个步伐、一次漫步或者只需稍稍离开大路，就足以让我们找到独处之所。

公园的要求太多，且它的要求并不十分诚恳。为了满足公园明显的职业需求，兑现广泛宣传的承诺，公园的主人就必须成为一个喜爱隔绝生活和长期孤独的人。他必须达到一种孤独的状态，而这种状态是其他任何人都无法具备的一种生活条件。在一些有可能实现终生独处的国家，一个误入歧途的旅行者会知道，在沙漠深处，那与世独立的孤单身影是不可战胜的。的确，他的经过打破了他们的孤单，然而对他们来说却没有丝毫关系。他们看着他，但是他们却没有意识到他在看着他们。不，他们看着他，就仿佛他们是看不到的。他们的那种无我达到了狂野的程度。他们在身心上都是孤独的人；当他们好奇而转向观察路人的时候，他们就是地地道道的孤独的人。如今没有人能在一个绅士的姿态中找到这种态度。没有人能够在一个乡绅的眼睛里找到这种眼神。那绅士并不是一个终生的孤独者。他从未有过那样的举止，使人仿佛看不到他。他从来不曾拥有牧人那种如入无人之境的风格，在偏远的亚平宁山中的岩石中搭建一个四面无窗、家徒四壁的小棚作为他的寄居之所。米勒曾短暂地在法国体验过怡人的田园独居生活，他绝不可能选择这位乡绅作为他的模特。再也没有什么能够比狂野的、习以为常的终生孤独更适合公园了，不论那公园有多大规模。

如果有一种眼神流露出永远的孤独，也同样有一种熟悉的眼神代表永远的熙攘和喧闹。那是一种伦敦的表情，以及与它相似的巴黎的表情。那种眼神很快便可以捕捉到，却黯然无趣，那是一种在枯燥的时刻跃跃欲试的目光，它属于那些不知道自己在遥远的地方还有一座坚固堡垒的人，这些人既没有公开的秘密，也没有私藏的秘密，他们没有保留地，不需要庇护所，没有逃遁的念头，更没有逃遁的冲动。除了到大街上闯荡之外，他们没有其他心情；他们不希望收到来自孤独者的忠告和消息。

一个属于自己的房间

节选

弗吉尼亚·伍尔夫

1882—1941

伍尔夫出生于伦敦南肯辛顿的一个富有的艺术家庭，她的母亲曾是英国前拉斐尔派画家的模特，父亲是作家。她早年在家接受教育，主要学习英国文学。后来进入伦敦国王学院女子学院，学习古典文学和历史，并与女权运动成员互动。1917年，她与丈夫伦纳德·伍尔夫共同创办了霍格思出版社，出版了她的大部分作品。从1915年起，她定期出版小说、故事和散文，其中许多因其创新的风格和深刻的情感力量而成为现代文学的经典之作。她的小说《奥兰多》（1928）部分基于伍尔夫与作家维塔·萨克维尔·韦斯特的关系，已成为女性主义小说的一个标志；她的长文《一个属于自己的房间》（1929）是女权主义文学批评的基础性作品。本书选取了其中一个章节。

你们或许会问，我们请你谈的是女人与小说，可这和拥有自己的一个房间有什么关系？请容我解释。当你们提出要我讲讲女人和小说的时候，我便在河岸上坐下，开始琢磨这几个字究竟意味着什么。或许意思很简单，无非是我点评一下范妮·伯尼的小说；多讲讲简·奥斯汀，特别提几句勃朗特姐妹，勾勒一下冰雪覆盖的霍沃斯故居；如若可能，再针对米特福德小姐说几句机智的话，满怀敬意地暗中提几句乔治·艾略特，再提一提盖斯凯尔夫人，这样就算差不多了。但是转念一想，这几个字似乎没有那么简单。“女人和小说”这个话题的意思，可能是指女性和女人的形象，或是女人和女人所写的小说，抑或是女人和关于女人的小说，又或是，这三方面密不可分，因此我应该就从这个角度来谈谈——这或许也正是你们的想法。但是，当我开始从最后这个视角来思考这一看似极为有趣的话题时，我很快发现，它有个致命的缺陷——我恐怕永远无法得出结论。我永远不可能完成我所理解的一个讲演者的首要责任，在一小时的讲话后道出一点真相，让你们把这真知夹在笔记本的书页中，或者永远挂在壁炉台上。我唯一能做到的，是就一个无关紧要的问题，给你们讲讲我的想法——一个女人倘若想写小说，则必须有钱，还要有一个自己的房间。可是，这样的话，你们会看到，就无法解决女人的本质和小说的本质这两个大问题。我一直在逃避责任，不想对这两个问题下结论。就我而言，女人与小说的问题，是无法解决的。但是，作为补偿，我会尽力让你们看到，关于房子和钱，我是怎样得出结论的。我会当着你们的面，自由、充分地畅谈我的思路，让你们看到我的思维过程。假使我能够阐明这种说法背后的想法和偏见的话，或许你们就会发现，它在一定程度上影响到了女人，也在一定程度上影响到了小说。不管怎么说，如果一个话题备受争议——但凡牵扯到性别的问题都会如此——你不能指望谁说出实话。我们能做的，只是让人们看到我们现在的观点是如何得来的，且不论这些观点的内容是什么。我们只能把机会留给我们的听众，让他们在观察了演讲者的局限、偏见或个性特征后得出自己的结论。小说在这个时候可能比事实包含更多的真理。因此，我准备充分利用一个小说家的自由和特权，给你们讲一下我来这里前两天里发生的故事——谈谈在你们把这个沉重的话题放到我肩上之后，我是如何不堪重负，思来想去，在我日常生活的里里外外都伤透脑筋的。不消多说，我将要描绘的景象并不存在——牛桥大学纯属杜撰，芬汉姆学院也是虚构，而“我”只是一个顺口的称谓，并非实有其人。我的话中可能会谎言连篇，但或许其中还掺杂着些许真理，因此需要你们自己去伪存真，由你们自己决定哪一部分值得珍藏。如果我说的话一无是处，你们当然可以把一切扔进废纸篓，忘个一干二净。

一两周之前，那是十月的一天，天气晴朗，我（姑且叫我玛丽·伯顿、玛丽·希顿，玛丽·卡米克尔，或者随便什么你们喜欢的名字——这都无关紧要）坐在河边，陷入沉思。我刚才提到的那个头枷，即女人与小说这个话题，压得我抬不起头来——我要为一个众人各执己见，争得面红耳赤的话题下一个结论。在我的左右两旁，生长着一些不知名的灌木，有的金黄，有的绯红，色彩艳丽，仿佛在火中燃烧。更远处的河岸上，垂柳仿佛有诉不尽的哀怨，柳条若垂肩长发，随风拂动。河面恣意地从天空、小桥与如火一样燃烧的树丛中选取一部分，将它们倒映在水中。大学生划着桨穿行在倒影中，倒影破碎又完整合拢，仿佛他从未存在过。人们似乎可以从早到晚坐在这里沉思冥想。思想——姑且用这个与它并不相称的尊贵的名称来称呼吧——把钓线投入溪流之中，那钓线随波漂荡，一分钟又一分钟，在倒影和水草间左右摆动，随波沉浮，直到线的另一头猛然一沉——你知道那种轻轻的拉力——便有一团思想上钩了。接下来，你小心翼翼地把线收回，或许，还要小心翼翼地将那团思想一一摆开？嗨呀，我的这一团思想摆在草地上，看上去是那么微不足道；对于这样的鱼儿，聪明的渔夫会把它们放回河中，等它们长得更肥，可以有一天拿来做菜，美餐一顿。现在，我还不想拿这个思想来烦扰你们，不过，如果你们留心，在我接下来要说的内容中，就会发现它。

不管这思想多么微不足道，它的神秘却是独一无二的——只要把它放回到大脑里，就会让人们异常兴奋，看到它的重要；它时而飞快游动，时而扎入水底，东游西窜，哗啦啦激起一团思想的水花，让人再也无法安坐。正因为此，我不知不觉中已经急匆匆起身，穿过了一块草坪往前走着。紧接着，一个男人的身影站了起来，拦住我的去路。一开始，我还不明白，这个身着礼服和晚衬衣，看上去甚是奇怪的家伙，原来是在冲我指手画脚。他一脸的惊恐和愤怒。此时，我的本能而非理性帮了我一把——他是大学礼监，我是女人。这是草坪，那里才是路。只有研究员和学者才可以在这里，那条石子路才是给我的地方。这些想法发生在一瞬间。一等我回到那条小路，礼监的胳膊便放了下来，脸色也恢复了原来的平静。虽然草坪比石子路走起来更舒服，不过我也没有受到什么大的伤害。那些研究员和学者，无论他们属于哪个学院，我唯一要怪罪他们的地方就是，为了保护他们那块草皮，那块已经被不断碾压了三百年之久的草皮，他们把我的小鱼吓得躲了起来。

是什么样的念头让我如此大胆地擅闯禁地，我现在已经无法记起。安谧的精灵像一朵云从天而降，如果说，这安谧的精灵会在什么地方落脚，那一定是某个美好的十月清晨里牛桥大学的院落和方庭。我漫步穿过那些学院，从那古老的回廊下经过，现实的粗砺似乎已经被刨光。身体仿佛被装在一个神奇的玻璃缸中，没有一丝声音能够穿透，而心灵从与现实的纠缠中解放出来（除非你再次闯入那片草地），终于获得自由，陷入任何能与此刻保持和谐的沉思去。真是无巧不成书，零散的记忆让我想起先前读过的一篇文章，里面讲到作者利用长假重访牛桥的经历，这又让我想起查尔斯·兰姆——圣查尔斯，萨克雷把兰姆的一封信贴在额前如是称。确实，在所有逝者当中（我想什么就说什么），兰姆是最温和的一位，人们或许会欣然问他："告诉我，你是怎样写文章的？"因为，在我看来，他的随笔甚至超越了马克斯·比尔博姆，可谓精妙绝伦。这源自他那狂野的想象力以及行文中如闪电般迅捷的才思，这虽然给他的随笔带来一丝缺憾和瑕疵，却也使之如诗歌一般璀璨夺目。兰姆来到牛桥，大概是在一百年前。他确实写下了一篇文章——名字我记不得了——是关于他在这里看到的弥尔顿一首诗的手稿。那首诗大概是《黎西达斯》。兰姆写道，《黎西达斯》中的每一个字都有可能与今天不同，想到这种可能性，他大为震惊。弥尔顿竟然改动了这首诗中的词句，即便这样想一想，对来他说似乎都是一种亵渎。这也吸引我去回想我所记得的《黎西达斯》，揣摩弥尔顿修改过的可能是哪个词，以及为什么要修改，权作自我消遣。而此时我突然想到，兰姆看过的那份手稿离我也就几百米远，所以不妨跟随兰姆的足迹，穿过方庭，到那座珍藏这一宝贝的著名图书馆里看上一眼。而且，就在我实施这一计划的时候，我想起，萨克雷的《艾斯芒德》也同样保存在这座著名的图书馆里。评论家们常说，《艾斯芒德》是萨克雷最完美的小说。可是，在我的记忆里，这部小说文风矫揉造作，模仿 18 世纪风格，让人望而生厌；当然，除非 18 世纪的风格就是萨克雷的自然风格——这只消一阅手稿，看看萨克雷的修改是为了修辞，还是为了达意，便可得到证实。可那样一来，还需要判别什么是文风、什么是意义，而这个问题——不过，想到这儿，我已经来到了通往图书馆内部的门口。我一定是打开了那扇门，因为门里立刻冒出一位满头银发、彬彬有礼的先生，他就像一位守护天使，呼啦啦一声张开他的黑袍而非白翼，堵住了我的路。他一脸不悦地冲我挥了挥手，示意我回去，并低声地用一种带有歉意的语气告诉我，女士只有在学院的研究员陪同下或凭借介绍信才能进入图书馆。

即使遭到一个女人的诅咒，这事对这样一个著名的图书馆来说，也完全不值一提。它庄重肃穆地把所有宝贝紧紧揽在怀中，心满意足地睡去。对我而言，它将永远酣睡不醒。我一边愤怒地走下台阶，一边发誓再也不来这里留下足迹的回声，再也不要来请求它的款待。离午饭还有一个小时，该做些什么呢？继续在草地上散步？去河边坐坐？秋日的清晨无比美丽，红叶簌簌落地，无论散步或是河边小坐，都不算什么苦差。然而，一阵音乐声飘进了我的耳朵。某处正在举行仪式或是庆典。我从小教堂门边经过时，管风琴的幽咽宏伟壮丽。在宁谧的气氛中，就连基督教的哀怨也更像对哀怨的缅怀，而非哀怨本身；甚至那古老的管风琴的呜咽声，也被揽入宁谧怀中。我没有进去的意思，即使我有这个权利，教堂的司事这次恐怕会拦住我，向我索要浸礼证明或是教区长的介绍信。不过，这些宏伟建筑的外面通常和里面一样美。而且，看着教徒聚集，进进出出，在小教堂门口忙忙碌碌的，像一群蜜蜂拥在蜂巢出口，这本身就足够有趣了。许多人头戴方帽，身披长袍；一些人肩上缀着毛皮穗带；另一些人坐着轮椅被人推着；还有些人，虽然未过中年，却满脸褶皱，佝偻着身子，外形怪异，让人想起水族馆沙滩上那些费力爬行的巨蟹和龙虾。我靠在墙上，眼前这所大学确实像一座圣殿，里面存放着各种奇珍异宝，若要把它们全丢在斯特兰德大街的人行道上自生自灭，恐怕早就作古了。我脑海中又浮现出那些老教长、老教授的古老故事，在我还没有鼓起勇气吹响口哨之前——在过去，人们常说，只要吹一声口哨，老教授便会立刻飞奔起来——这群可敬的人早已进了教堂，只留下小教堂外景可以观瞻。你们知道的，教堂外面可以看见高高的穹顶和尖塔，就像永远航行却永不抵岸的帆船，在夜间灯火辉煌，几公里之外都可以看见，甚至远隔重山也可收入眼帘。这块草坪平整的方庭，还有巍峨的建筑和小教堂本身，很可能也曾是一片沼泽，荒草随风飘摇，野猪刨食其间。我想，一定有一队队的牛马从遥远的乡村拉来石头，费尽千辛万苦，把那些灰色巨石一块接一块地垒起，我现在才得以站在它们的阴影下避暑。然后，又有油漆工给窗户装上玻璃，泥瓦匠拿着泥刀铁铲，和着油灰水泥在房顶忙碌，一连好几百年。一到周六，就会有人从兽皮钱囊里把金币、银币倒进那些工匠古老的手心中，因为他们晚上大概也要喝酒作乐，玩一把九柱戏。我想，那源源不断的金币银币必定流入了这个庭院里，才使得石头一车车不断运来，泥瓦工人一天天不停忙碌——平地，挖沟，掘土，排水。不过，那个时代是信仰的时代，人们慷慨解囊，为的是让这些石头根基深厚，而当石块砌好后，更多的钱从国王、王后以及王公贵族的金库里流入这里，以保障信徒在这里唱赞美诗，学者在这里教书育人。土地是专门划拨的，什一税有人代付。而当信仰的时代结束，理性的时代来临，金子银子依然源源不断；研究员制度建立，讲师职位问世；只是那金子、银子不再从国王的金库里流出，而是从商人、制造商的钱柜，从靠实业发财的人的钱包涌出。那些靠自己干事发家致富的人立下遗嘱，分出慷慨的一份，用以资助更多的讲席、更多的讲师、更多的研究员，作为对大学的回报，因为他们就是在这里学得了技艺。于是，又有了图书馆和实验室，有了天文观测台，有了昂贵而优良的设备和放在玻璃架上的精密仪器；而就是在这里，几百年前还满是随风摆动的荒草和到处刨食的野猪。的确，当我绕着这庭院漫步时，那金银填筑的地基看起来似乎足够深厚，在野草上铺就的行道极其密实。男人们头顶着盘子，匆匆忙忙从一个楼梯走向另一个楼梯。妍丽的花朵在窗口的花坛中怒放。吵闹的乐曲声从屋内传出。这一切不引起你的思考是不可能的——但不管你思考的是什么，思路却被打断了。时钟响了，该去吃午饭了。

奇怪的是，小说家总有办法让我们相信，午餐会永远值得回味，因为席间总会有人说些妙语趣言，做一些文雅高明的举动。然而，对于吃了什么，他们绝不愿多写一个字。小说家的一个惯例就是对鲜汤、鲑鱼和乳鸭绝口不谈，好像它们根本就无关紧要，好像从没有人吸过一口雪茄，或是喝过一杯红酒。不过，我要在这里冒昧地打破这个惯例，向你们透露一点内情。在这种场合下，午餐首先以鳎目鱼开始，鱼盛在深盘里，上面由学院厨师浇了一层雪白无比的奶油，不过，奶油上还在这里或者那里印上棕色的点，就像雌鹿两肋的斑点。随后上的是鹧鸪，但如果这让你想到的不过是放在盘子里的几只光秃秃的棕色飞禽，那你们可就错了。那些鹧鸪，品类繁多，口味各异，配着一大堆酱料和沙拉端上来，有辣有甜，上菜次序各不相同；他们吃的土豆，薄如硬币，不过口感可没有那么硬；他们吃的菜心，用叶子装饰得像玫瑰的花苞，不过要更甘饴多汁。烤鹧鸪和配菜刚刚用完，那位静候一旁的侍者，或许就是礼监本人，面带比平时更和悦一些的表情，立刻奉上一道甜点，四周围着餐巾，仿佛海浪里翻滚出所有甜美的食物。称它为布丁，把它与大米和木薯淀粉相提并论，那简直就是侮辱。而与此同时，酒杯中流淌着淡黄、绯红的琼浆，满了又空，空了又满。就这样，渐渐地，沿脊柱而下，在其中央，也就是我们灵魂的栖居地，有什么被点燃了，不是我们称为才华的刺眼的零星电光，那只在我们的唇间进出，而是一种更深邃、更微妙、更隐秘的微光，它就是理性交流中熊熊燃起的金色烈焰。不必匆忙，不必火花四溅，不必成为别人，只需做自己。我们都会升入天堂，凡·戴克也位列其中，与我们相伴——换句话说，生活多么美好，生活的回报多么甜蜜，这一点抱怨，那一点不满，实在是微不足道。与志同道合的人交往联谊，那才是令人无比艳羡，那种惬意，好比点上一支香烟，躺在窗前长椅的软垫上一样舒服。

假使手边碰巧放着烟灰缸，假使你没有因为缺烟灰缸而把烟灰弹出窗外，假使情况与以往稍有不同，你或许就不会看到那只没尾巴的猫。我目睹那少了一截尾巴的猫轻柔地穿过方庭，潜意识忽然获得某种智慧，让我的情感之光发生了改变，仿佛有人放下了遮光帘。也许是那美妙的霍克酒酒力正在消散。我看着那只曼岛猫在草坪中央停下，好像也在思索宇宙，的确，似乎少了些什么，似乎有地方不太对劲。然而少的是什么，不对劲的又是什么？我一边听着别人的交谈，一边问自己。要回答这个问题，就要让我的思绪离开这个房间，回到过去，确切地说是回到战争之前，把另一场午餐会还原在眼前，那场午餐会就在离这儿不远处的几个屋中举行，景象却截然不同，一切都变了样。与此同时，宾客间的交谈正在继续。客人很多而且很年轻，有男有女。他们谈得很随意，很轻松，很风趣。在他们交谈的同时，我将这谈话以过去那场谈话为背景做了比较，毫无疑问，其中一场是另一场的后代，是它合法的继承者。什么也没有改变，什么也没有不同，只有我在此侧耳细听，但我并非只在听他们的交谈，还在听那交谈背后的私语或语流。是的，就在这里——不同就在这里。在战前这样的午餐会上，人们交谈的内容没有丝毫不同，但听起来却大不一样，因为那时，有一种轻声的吟唱伴随着他们的交谈，这吟唱声虽不太清晰，却富有音乐性，令人兴奋，因而改变了词语本身的价值。有谁能把这吟唱变成词语呢？或许，借助诗人的帮助可以做到……。一本书就放在我身旁，只是随手一翻，便翻到了丁尼生。这里，我听到丁尼生的吟唱：

一滴晶莹剔透的泪珠
从西番莲上落下门台。
她来了，我的白鸽，我的心爱；
她来了，我的生命，我的未来；

红玫瑰在喊叫，“她走近了，她走近了”；
白玫瑰在啜泣，“她已迟来”；
飞燕草在倾听，“我听到了，我听到了”；
百合花在呢喃，“我在等待”。

这就是战前男人们在午餐会上的吟唱吗？那女人们吟唱的是什么呢？

我的心像一只歌唱的鸟
在湿漉漉的花苞里筑巢；
我的心就像一株苹果树
累累的果实使树枝弯腰；
我的心就像七彩的贝壳
在那平静的大海中逍遥；
我的心比一切都要快乐
因为啊，我的爱即将来到。

这就是战前女人们在午餐会上的吟哦吗？

在战前的午餐会上，人们竟然压低声音吟唱这样的诗句，一想到这个，我就觉得滑稽，忍不住笑出声来，只好指着那只曼岛猫来掩饰我的笑声。那可怜的家伙没有尾巴，站在草坪中央，看上去确实有点荒诞。它是否生来就是这副模样，还是意外失去了尾巴？虽然有人说，这种无尾猫在曼恩岛上就有一些，但它们比想象的还要罕见。这真是一种奇怪的动物，与其说它漂亮，不如说是奇怪。一条尾巴便有如此大的差异，确实很奇怪——像这样的话，你知道，就是午餐会结束，大家各自起身去取衣帽时通常所说的。

在主人的盛情款待下，这顿午餐一直持续到下午很晚。我走在大道上，秋叶纷纷从树上落下，十月里美好的一日渐渐褪去。在我的身后，一扇又一扇的大门似乎轻柔而坚决地关上了。无数个礼监把钥匙塞进油润的锁孔中，宝库又可以安然无恙地度过一夜。走过大道，来到一条马路上——我忘记了它的名字——如果你不转错弯，这条路会带你来到芬汉姆学院。不过，时间还早。晚餐要到七点半以后才开始。吃过这样一顿午餐以后，晚饭几乎可以免掉了。奇怪的是，脑子里冒出了一小段诗行，使得我的双腿和着节拍沿路而行。我快步朝着海丁利走去，而那些词句——

一滴晶莹剔透的泪珠
从西番莲上落下门台。
她来了，我的白鸽，我的心爱；

在我的血液中歌唱。随后，我来到堤堰旁，浪花拍打着水岸，我的步调换成了另一个节拍：

我的心像一只歌唱的鸟
在湿漉漉的花苞里筑巢；
我的心就像一株苹果树……

多么伟大的诗人，我放声高呼，就像夕阳薄暮时的人们那样呼喊，他们是多么伟大的诗人啊！

带着对过去的某种算是嫉妒的心理，我为我们自己的时代而慨叹——尽管这样的比较未免愚蠢、荒唐——平心而论，谁能说出两位在世诗人的名字，其伟大堪比当年的丁尼生和克里斯蒂娜·罗塞蒂？看着那浪花翻滚的河面，我心中思忖，显然，没法拿他们相比。那些诗行之所以让人们如痴如狂，是因为它们歌颂的是人们昔日拥有的情感（也许就是在战前的午餐会上），以至于人们会自然而然地做出习惯的反应，而无需去压制那情感，或者把它和人们现在的任何情感相比。然而，那些在世的诗人所表达的情感，却是生搬硬造，从我们此刻的身上生吞活剥下来的。这情感，人们一开始无法辨认，而是常常莫名地感到畏惧；人们密切地注视着它，心怀嫉妒或疑虑，将之与往昔熟悉的情感相比较。这就是现代诗歌的晦涩。正是由于这种晦涩，任何优秀的现代诗人的诗句，只要超过两行，人们都无法记住。正是因为这个——因为我的记忆力不好——我无法拿出证据支持我的说法。可是，我一面朝海丁利走去，一面继续问自己，为什么在午餐会，我们停止了低声吟唱？为什么阿尔弗雷德不再继续吟唱：

她来了，我的白鸽，我的心爱；

为什么克里斯蒂娜不再应和：

我的心比一切都要快乐
因为啊，我的爱即将来到？

我们是否可以怪罪那场战争？随着枪声在1914年8月响起，男人和女人是否便在彼此的眼中清晰地看到被杀戮的浪漫？在炮火的映照下，我们那些统治者们的嘴脸委实令人震惊（尤其是对于对教育抱有幻想的女人而言）。他们看上去如此丑陋——德国人、英国人、法国人——如此愚蠢。但不管怪罪哪里，不管怪罪何人，让丁尼生和克里斯蒂娜·罗塞蒂浮想联翩，为爱人的到来忘情歌唱的那种幻想，现在已经绝世罕见了。我们只要读一读，看一看，听一听，回忆一下，便可知道。但为什么要说“怪罪”呢？如果那只是一场幻想，为何不去称颂毁灭幻想并让真理回归的那场灾难（无论那灾难是什么）？因为真相……这里的点表示我为寻找真相而错过的通往芬汉姆的岔道。是的，没错，哪个是真理，哪个是幻想？我问自己。比如这些房子，此刻灯光暗淡，喜气洋溢，夕暾斜照朱窗，但到了早上九点，屋里糖果散落，窗前晾上鞋带，红垢尽显房子的粗糙，哪一种景象才是真实的？还有那垂柳、小河和沿岸的花园，在此刻悄悄弥漫的薄雾隐约可见，但在阳光的照射下，却金灿灿、红彤彤，到底哪一种才是真实，哪一种才是幻象？在这里我省却你们的麻烦，不必为我思想的波折起伏而费神，因为在去海丁利的路上，我并没有得出什么结论。我只请求你们想象一下，我很快发现自己转错了弯，就又回到了正道上。

正如我前面所说，现在是十月的一天，我可不敢对你们失敬，并辱没小说的美名，更换季节去描写花园墙头上垂下的丁香，或者去描写番红花、郁金香抑或其他春日里的鲜花。小说必须紧贴事实，事实越真，小说就越好——人们都这样对我们说。因此，时间还是秋天，树叶依然枯黄飘落，若有什么不同的话，就是树叶比以往落得更快了。现在夜色已至了（确切地说是7点23分），一阵微风徐徐吹来（确切地说是西南风）。尽管如此，还是有一些异样的感觉：

我的心像一只歌唱的鸟
在湿漉漉的花苞里筑巢；
我的心就像一株苹果树
累累的果实使树枝弯腰；

这般虚妄的幻想浮现在我的眼前，或许克里斯蒂娜·罗塞蒂的诗句要承担部分责任。当然，也不过是幻想而已——丁香花在风中摇摆，花落墙头，黄粉蝶四处翻飞、飘忽东西，漫天的花粉在空中飞扬。一阵风不知从哪里吹来，掀起半大的嫩叶，让空中闪过一片银灰色的光。此刻是日光与月色的交接时分，所有色彩都变得愈发浓郁，窗玻璃上燃着姹紫和金黄的光焰，像一颗亢奋的心脏在跳动；不知何故，这世界的美华容初露却又将匆匆凋零（这时，我推开门走进了花园，因为门没有关上，附近也没有什么礼监），而那即将匆匆凋零的世界之美却如一把双刃利剑，一面是悲，一面是喜，将心劈成两半。春日的黄昏里，芬汉姆的花园在我眼前一览无余，空旷而充满野趣，高高的草丛中星星点点长着些水仙花和风铃草，肆意地散布在各处，也许到了景致最好的时候也依然是这样纷乱，不过，现在，在秋风的吹拂下，它们左右摇摆，拽动着根部。建筑物的窗户像船上的舱窗，在一大片波浪般的红砖墙陪衬下，形成一条曲线。春日的云彩疾飞而过，窗户的颜色也从柠檬黄转成银色。有人在吊床上躺着，还有人从草坪上飞奔而过，在暗淡的光线下，那身影如同幻影一样似是而非，一半要靠看，另一半只能靠猜——难道没有人去拦住她？接着，一个弓着腰的身影突然从台子上冒出，似乎是出来吸一口空气，看一看花园。她的举止令人敬畏却态度卑谦，她额头高高突起，身上穿着一条破旧的连衣裙——难道她是那位有名的学者，那位J——H——本人？一切都笼罩在朦胧之中，却又如此醒目，好像暮色披在花园身上的薄纱被星光或利剑刺破——从春天的心脏里，突然跳出某种可怕的现实来。因为青春——

我的汤上来了。晚餐就在大餐厅里。现在可不是什么春天，而是十月的一个夜晚。所有人都集中在宽敞的餐厅里。晚餐已经就绪。汤端上来了。这是一道朴素的肉汤，不会激发出什么幻想。通过透明的汤汁，盘子上的任何图案都可以看得一清二楚。盘子也朴素无奇，什么图案都没有。接着端上来的是牛肉，还配了青菜和土豆——这是一道家常的三合一，让人想起泥泞的市场里的牛臀肉、叶边卷曲泛黄的菜心，还有周一早晨女人提着网兜讨价还价的声音。食物供应充足，没有理由去抱怨人类每日必需的三餐，况且煤矿工人还吃不到这么多。接着端上来的是梅干和乳蛋糕。如果有人抱怨，梅干即便用乳蛋糕泡软，也还是拿不出手的蔬菜（它们算不上水果），像守财奴的心脏一样全是筋络，渗出的汁液也像来自守财奴的血管，他们八十年不舍得喝一口酒、不舍得加一件暖衣，更没有接济穷人的习惯；这样抱怨的人应该想到，对有的人来说，即便是梅干，他们也情愿接受，那已经是很慷慨的施舍了。接下来端上来的是饼干和奶酪，人们自由地传递着水罐，因为饼干本来就是干的，而这些饼干又是地地道道的饼干。这就是所有饭菜了。晚餐到此结束。所有人都吱吱嘎嘎地推开椅子，弹簧门猛地开了又关，关了又开，大厅里很快就拾掇一空，不剩一点残羹冷炙，早已为明天的早饭做好准备了。走廊里、台阶上，英格兰的青年们，唱着歌东奔西撞。作为一位客人，一个陌生人（因为我在芬汉姆学院，和在三一学院、萨默维尔、格顿、纽汉姆或是基督堂学院一样，没有什么权利），能否说一句，“晚餐不怎么样”，或者（我和玛丽·席顿二人，我们正在她家的客厅里），“我们不能在这里单独用晚餐吗？”因为要是我说出这样的话，我就是在窥探和查询这家的家底和秘密；而在陌生人眼里，这家餐厅在面子上是如此乐观向上、坚韧不拔。不，没人能说出这样的话来。的确，谈话一时间变得索然无味。人体的结构天然如此，心脏、身体和大脑浑然一体，并非分隔在不同的地方，而再过一百万年毫无疑问也还是这样，所以，一顿丰盛的晚餐对于一次愉快的交谈至关重要。一个人吃不好，就无法好好思索，好好去爱，好好睡觉。骨子里的灯不能靠牛肉和梅干点亮。我们大概都会升入天堂，而我们希望，凡·戴克就在下一个街角等着与我们相见。这便是一日劳作后，牛肉和梅干滋养出来的那种将信将疑而又正常合格的心态。幸运的是，我的一位讲授科学的朋友，他有一个橱柜，里面摆着一大瓶酒和几个小玻璃杯——（不过，我看应该先端上鳎目鱼和鹧鸪）——因而，我们可以凑在火旁，弥补我们这一天生活中的损失。一两分钟不到，我们就已经开怀畅聊了，自由来回于脑子里想到的所有新奇和有趣的话题之间，这些话是和某个人未能见面时想到的，自然再次相聚时一定要探讨探讨——怎么一个人结了婚，另一个却没结；一个人这样想，另一个人却那样想；一个人不声不响地升官发财，另一个却每况愈下——话头一挑，自然而然就会有各种对人性的揣测，就会有许多对我们这奇妙世界的猜想。然而，在这么评头论足的时候，我羞愧地意识到，一股思想的暗流早已在心底生成，自顾自地卷着一切奔向它自己的目标。你可以聊西班牙或葡萄牙，可以聊书籍或赛马，但不管聊些什么，你的真正的兴趣并不在于这些，而在于五百年前泥瓦匠在高耸的屋顶上忙碌的那一时刻。国王和贵族运来大袋大袋的金银，把它灌注在地基里。这个画面不断地我的脑海中重现，和另一个画面并排进入我的想象——瘦弱的母牛、泥泞的菜市场、蔫缩的青菜，还有干如筋丝的老人的心脏——这两幅画面毫无关联，各不相同，还有些莫名其妙，却总是相伴出现在我眼前，它们你争我抢，我只能完全听任其左右我的想象。除非整个谈话都被扭曲，最好的做法，就是把我心里的想法公之于众。如果幸运的话，就会像人们在温莎古堡打开死去国王的棺椁一样，那头颅便会萎缩、瓦解。于是，我便以简洁的语言告诉席顿小姐，那些年来泥瓦匠们是怎样在小教堂的屋顶忙忙碌碌；国王、王后和王公贵族们是怎样扛来一袋袋金银，又一铲一铲地把它们埋进了地基；而我们这一时代的金融巨擘又是怎样把支票和债券——我猜测——填进别人业已灌注粗碎银的地方。所有这些全都埋藏在那些学院之下，我告诉她说，但是，我们现在所处的这个学院，在它那庄严的红砖和花园中参差的野草下，又埋藏着什么呢？在我们用来吃饭的简陋瓷碗后面，还有（我脱口而出，没法住口）那牛肉、乳奶糕、梅干后面，蕴藏着一种怎样的力量呢？

对，玛丽·席顿说，大约是在 1860 年——哦，不过你晓得这个故事的，她带着厌倦的语气说道，我想这故事她已经背得滚瓜烂熟了。她告诉我——那时学院的房子都是租用的。然后，委员会开了会，发出了信函，拟好了公告。再下来，会议举办了，来信宣读了，某某承诺了多少多少；然而相反的是，某先生却分文不掏。《星期六评论》更是粗鲁过分。我们该怎样筹钱来支付办公费用？要不要办一场义卖？不能找个漂亮姑娘坐在前排来撑门面吗？来看看约翰·斯图尔特·穆勒对这个话题是怎么说的吧。有没有人能说服某报编辑刊登一封信？能不能让某夫人给这封信签名？但某夫人不在城里。六十年前，想必情况就是这样，大量精力、大量时间花费在了这件事上，通过不懈的争取，克服千辛万苦，才筹来三万英镑。显而易见，她说，我们喝不上美酒，吃不上鹧鸪，没钱雇佣仆人，让他们头顶锡盘为我们上餐。我们买不起沙发，住不起单独的房间。“便利设施，”她引用某本书上的话说，“还是再等等吧。”

所有那些女人，她们年复一年地辛劳，却难以凑齐两千英镑，最终竭尽所能才搞到三万镑。一想到这个，我们不由地对我们这些女性表示鄙夷，她们的贫穷真的应当受到谴责。我们的母亲们当年都做什么去了，没给我们留下一点财富？忙着往脸上涂脂抹粉去了吗？盯着橱窗发呆去了？还是在蒙特卡罗的艳阳下招摇过市去了？壁炉台上挂着几张照片。玛丽的妈妈——如果照片中的人就是她的话——没事做的时候一定挥霍无度（她和一位牧师生了十三个孩子），然而若真是这样，她恣意放纵的生活却不曾在她的脸上留下多少享乐的痕迹。她是个老女人，长相一般，披着一块格子花披肩，用一枚大胸针扣着。她坐在一把藤椅上，正哄着一只西班牙猎犬面对镜头。她神情愉悦，却又有些紧张，因为她敢肯定，闪光灯只要一被按下，她的猎犬准会动。若是她当初去做生意，办人造丝制造厂，或做一个证券市场大亨；要是她给芬汉姆学院留下二三十万镑，我们今天晚上就会舒舒贴贴地坐在这里谈天说地，我们的话题就会是考古学、植物学、人类学、物理学、原子的属性、数学、天文、相对论、地理。要是席顿太太和她的母亲，以及她母亲的母亲，都像她们的父亲与祖父们那样，学会了赚钱的伟大技艺，都给自己的同性同胞专门设置了研究员和讲师职位，提供了奖金和奖学金，我们就可以从容不迫地在这儿独享山珍海味、玉液琼浆；我们或许还可以胸有成竹地展望未来，从事某个职业，慷慨的捐赠就会源源不断，使我们衣食无忧地在它的荫庇下度过一生。我们或许现在正在探险或写作，在地球的各大圣地悠闲地消磨时日，坐在帕台农神庙的台阶上沉思冥想，或是早上十点钟去办公室上班，下午四点半悠闲地回家，再写上一首小诗。只是，如果席顿太太及其同侪从15岁起就开始经商——这么说的麻烦就在这里——那就不会有玛丽了。玛丽对此有何看法？我问道。透过窗帘的缝隙，十月的夜晚显得那么静谧而可爱，秋色渐渐染黄的树叶间挂着一两颗星星。大笔一挥，就能让芬汉姆学院得到它那笔五万多英镑的捐赠，玛丽她是否已经做好准备，为此放弃她应当享有的眼前美景，放弃她对苏格兰的美好回忆？要知道，那里有她童年的嬉戏和争吵（那是一个幸福的家庭，尽管人口很多），那里有怡人的清新空气和美味的糕点让她永远赞不绝口。要知道，若要捐钱给学院，势必要牺牲家庭。一边赚大钱，一边养活十三个孩子，没有人能承受得起。想一想这些事实吧，我们说道。生孩子先要有九个月的妊娠。孩子生下后，还要花三四个月哺乳。哺乳期过后，又必定要花大约五年时间陪孩子玩耍。你似乎不能放任孩子们满街乱跑。那些在俄国看到过孩子四处撒野的人们都说，那景象可不雅观。人们说，人性的塑造期是 1 岁到 5 岁。席顿太太，我问道，如果你一直忙着赚大钱，你记忆中的嬉戏和吵闹会是什么样子？关于苏格兰以及那里清新的空气、美味的糕点及其他一切，你又会知道多少？然而，这些问题毫无用处，因为你压根就不会存在。再者，如果席顿太太和她的母亲，以及她母亲的母亲积攒了大量财富，并把它埋在学院和图书馆的地基下，会有什么结果？这个问题同样毫无用处。因为，首先，对她们而言，挣钱是不可能的事，其次，即使有可能，法律也会否定她们占有所挣钱财的权利。席顿太太能拥有自己的一分钱，那只不过是近四十八年来的事。而在此之前的所有世纪，那一便士从来都是她丈夫的财产——席顿夫人和她的母亲，以及她母亲的母亲，一直被挡在证券交易所门外，这个观念或许是其中原因之一。她们或许会说，我赚的每一便士，都可以拿走，遵照我丈夫的智慧来支配——或许可以在贝利奥尔学院、国王学院设立奖学金、增添研究员职位，因此，赚钱——即便我可以赚钱——和我关系不大。还是交给我的丈夫，由他来处理吧。

无论如何，不管是否该责怪那位看着西班牙猎犬的老女人，毫无疑问的是，出于某种原因，我们的母亲把自己的事业经营得糟糕透顶。一个便士也没能拿出来，给我们提供“便利”，使我们吃上鹧鸪，喝到美酒，请来礼监，种上草坪，使我们可以读书、抽雪茄，去图书馆，逍遥度日。在贫瘠的土地上建造裸露的墙壁，这是她们能做到的极限。

就这样，我们站在窗前，一边交谈，一边俯瞰脚下这座名城里的圆顶和尖塔，就像千万个人每天夜里那样观看这景色。秋夜的月光下，城市美丽而又神秘。古老的石壁洁白而庄严。我们想到收藏在那里的书籍；想到镶板房间里悬挂的老教士和伟人的画像；想到彩窗在地面上投下的奇异的圆形和新月；想起那些石碑、纪念碑、铭文；想起喷泉和青草，想起寂静的方庭对面那些安静的房间。我还想起了（原谅我的胡思乱想）那令人羡慕不已烟酒和深深的扶手椅，还有舒适的地毯；想起了伴随奢华、私密和宽敞的空间而来的温婉、优雅与尊严。我们的母辈为我们所提供的东西显然不能与这一切相提并论——她们连三万英镑都难以节省出来，还为圣安德鲁斯的牧师们生下十三个孩子。

于是，我回到了旅馆。走在那幽暗的街巷中，我陷入了沉思，左思右想，就像结束了一天工作后的回家的人那样。我在想，为什么席顿太太没有给我们留下钱财，贫穷会对心灵产生怎样的影响，财富又对心灵产生怎样的影响。我又想到了那天早上见到的戴着毛皮肩饰的古怪的老先生们；想到要是吹一声口哨，他们中的一位便会飞奔起来；想到小教堂里轰鸣的管风琴、图书馆紧闭的大门；我想到被拒之门外的不悦；又转念一想，要被关在门内或许更糟糕。当我想到一个性别的安逸与繁荣，另一个性别的贫穷与动荡，想到拥有或缺乏传统对一位作家心灵的影响；终于，我意识到，是时候把这劳作一日后褶皱的皮肤，连同那种种争执、印象、愤怒、欢笑，扔进围篱之中了。在一片荒芜的蓝天中，千万颗星闪烁着划过星空。在一个不可理喻的社会中，所有人仿佛都是孤独的。所有人都已睡去，有的俯卧，有的横躺，悄然无声。牛桥的大街小巷没有动静。旅馆的大门被一只隐形的手突然间推开——没有旅馆杂役为我起身点灯，送我回屋睡觉，夜已如此深了。

图书在版编目（CIP）数据

孤独不算烦恼/（英）扎克·西格编著；丁林棚译. —北京：中译出版社，2023.6
（关于人生这场旅行的四件小事）
书名原文：THE ART OF SOLITUDE
ISBN 978-7-5001-7303-8

Ⅰ. ①孤… Ⅱ. ①扎… ②丁… Ⅲ. ①世界文学－现代文学－作品综合集 Ⅳ. ①I11

中国国家版本馆CIP数据核字（2023）第021278号

著作权合同登记号：图字01–2022–2246

孤独不算烦恼
GUDU BUSUAN FANNAO

出版发行： 中译出版社
地　　址： 北京市西城区普天德胜大厦主楼 4 层
电　　话： （010）68359827，68359303（发行部）；68359725（编辑部）
传　　真： （010）68357870　　**邮　　编：** 100088
电子邮箱： book@ctph.com.cn　　**网　　址：** http://www.ctph.com.cn

出 版 人： 乔卫兵　　**总 策 划：** 刘永淳
策划编辑： 范祥镇　王诗同　　**责任编辑：** 范祥镇
文字编辑： 王诗同　　**版权支持：** 马燕琦
营销编辑： 吴雪峰　董思嫄　　**封面设计：** 黄　浩　Kay
排　　版： 北京中文天地文化艺术有限公司　　**印　　刷：** 北京顶佳世纪印刷有限公司
经　　销： 新华书店

规　　格： 710 mm×1000 mm　1/32
字　　数： 140千字　　**印　　张：** 6.75
版　　次： 2023年6月第一版　　**印　　次：** 2023年6月第一次

ISBN 978-7-5001-7303-8　　**定　　价：** 32.00元